D0357825

Environnement
et
consensus social

ÉDITIONS L'ESSENTIEL
Montréal
1997

Données de catalogage avant publication (Canada)

André Beauchamp, 1938-
Environnement et consensus social
Comprend des réf. bibliogr.
ISBN 2-921970-05-8
1. Environnement - Protection - Aspect social. 2. Environnement - Protection - Aspect social - Québec (Province). 3. Gestion de la crise. 4. Conflits sociaux. I. Titre.

GE40.B42 1997 363.7 C97-940623-4

Couverture: Communications Jo Ann Champagne inc.
Typographie et mise en pages: Communications Jo Ann Champagne inc.
Révision: Bernadette Maillé

Dépôt légal: 2e trimestre 1997
Bibliothèque nationale du Québec
Bibliothèque nationale du Canada

LES ÉDITIONS L'ESSENTIEL INC.
C.P. 208, succursale Roxboro
Roxboro (Québec) Canada H8Y 3E9

ISBN 2-921970-05-8

Introduction

Vivre en société a toujours été difficile et les tensions et conflits ne manquent pas sur la terre des humains. Conflits entre individus qui sont monnaie courante dans la vie domestique, entre enfants, entre enfants et parents, entre l'homme et la femme. «L'homme est carré, la femme est ronde» dit Vigneault, et si nous connaissons l'amour il n'est pas faux non plus d'en parler comme d'une «tendre guerre». Quittant l'univers domestique, force nous est de reconnaître qu'il n'existe pas de rues, de villages, de quartiers, sans ces innombrables affrontements qui nous dressent les uns contre les autres, pour une place de stationnement, un système de son trop puissant, quand il ne s'agit pas de deux hommes qui s'affrontent pour les yeux d'une même belle, ou de deux femmes pour le même homme. La guerre de Troie ne cesse de renaître.

Il n'existe pas de vie civile sans la reconnaissance de ces tensions qui s'inscrivent entre l'identité et la différence: chaque groupe et sous-groupe cherche à se définir, à dire son lieu et sa manière et à s'opposer à d'autres groupes et sous-groupes qui ont aussi leurs lieux et leurs manières, parfois leurs langues, leur histoire, leurs traditions. «Former un groupe, c'est créer des étrangers» (de Certeau 1969:10). Il y a ceux et celles qui ont de l'argent et ceux et celles qui en ont moins. Ceux et celles qui ont de l'instruction et du savoir et les autres. Ceux et celles qui savent voter du bon bord et surtout en tirer avantage. Ceux et celles qui ont pour seule richesse leur force de travail. Ceux et celles qui n'ont même pas de travail. Ceux et celles qui ont le savoir et le capital et qui vivent ici comme s'ils vivaient ailleurs, apparemment au-dessus de la mêlée.

Dans la société humaine qui grouille d'intérêts et de conflits divers, un équilibre précaire s'instaure entre les forces centrifuges et les forces centripètes. S'il n'y avait que les forces centrifuges, la société éclaterait vite en mille morceaux, chaque groupe ne voulant plus suivre que ses propres intérêts et s'affirmer unilatéralement. S'il n'y avait que des forces contripètes, la société s'agglutinerait et se figerait dans une morne identité: tout deviendrait vite étouffant et terriblement oppresseur pour les êtres si dissemblables que nous sommes. Pour qu'une société survive, il faut à la fois qu'il y ait un contexte qui favorise l'émergence des différences et de leurs tensions inévitables et une capacité de gérer ces tensions et différences de façon à les rendre socialement fécondes.

C'est normalement la médiation du droit que d'instaurer un ordre dans ces désordres, d'assurer la cohérence de l'ensemble dans la sauvegarde du juste et de l'équitable. Elle le fait sous la figure de la justice: comme un tiers, les yeux bandés pour garantir son impartialité et l'épée à la main pour symboliser sa capacité d'imposer sa solution. La justice dit le droit et l'impose. Elle rétablit l'ordre que les tensions et conflits peuvent perturber et menacer. Dans un ordre binaire qui oppose les uns aux autres, la justice paraît comme un tiers qui les juge et les pacifie. On n'ose pas dire: les réconcilie.

C'est par le combat (la lutte politique et la prise du pouvoir dans le domaine politique; la grève ou le lock-out pour le domaine économique) que s'instaure un ordre nouveau qui reflète mieux la réalité. Mais c'est dans le droit qu'on inscrit cet ordre nouveau pour en garantir la stabilité, sinon la pérennité.

Dans le présent ouvrage, nous traiterons plus particulièrement des conflits liés à l'environnement et de leur résolution. À partir du constat que l'accalmie de certains conflits ayant trait à l'environnement ne correspond pas simplement au repos des guerriers mais plus vraisemblablement à la reconnaissance du statut et de la légitimité des questions environnementales, nous nous emploierons à décrire la problématique environnementale et les raisons pour lesquelles les conflits dans ce domaine sont à la fois inévitables et complexes. Ensuite, nous analyserons l'état actuel des lieux au Québec et la tradition telle qu'établie par la régulation du Bureau d'audiences publiques sur l'environnement. Puis, nous jetterons un regard sur les nouveaux outils actuellement mis à notre disposition et sur leurs usages potentiels.

Pas plus en environnement que dans les autres domaines, il n'y a de réponse magique à la résolution des conflits. Il n'y a surtout pas de trucs infaillibles, précisément parce que les formules s'usent et que les acteurs changent sans cesse, s'adaptent et déplacent les lieux et les formes du conflit. Dès qu'une filière fonctionne trop bien, on dirait qu'elle tend à s'enrayer. Plus que d'une trousse d'outils à jamais établie, il importe de disposer d'un ensemble de signaux d'alerte qui puissent clignoter au moment opportun.

Remerciements

Le présent travail est le fruit d'un long cheminement personnel et doit beaucoup à de multiples collaborateurs, depuis mes premières expériences en éducation des adultes au début des années soixante en passant par la planification et l'animation d'un programme multimédia s'adressant à l'ensemble du Québec durant les années soixante-dix. Je dois rappeler ici mes dettes à l'égard de Denise Bellefleur-Raymond, Gérald Laprise, Aubert April et surtout Claude Quiviger et Roger Graveline avec lesquels j'ai commis un petit guide d'animation encore en usage. Puis en 1983, ce furent l'aventure du Conseil consultatif et surtout celle du Bureau d'audiences publiques en environnement, époque fébrile marquée par la présence de gens remarquables: Michel Yergeau, Louise Roy, Vincent Dumas, Luc Ouimet, auxquels je suis toujours redevable. Depuis 1990, c'est à titre de consultant en environnement que j'ai pu explorer d'autres aspects de la participation publique, ici et à l'étranger. Mes expériences avec la Ville de Montréal (Luc Ouimet) et la Ville de Québec (Jean Dionne) ont été précieuses. Par-dessus tout, je voudrais signaler une dette immense à l'égard de Louise Roy qui fut vice-présidente au BAPE et qui agit comme consultante et expert en consultation publique particulièrement dans l'élaboration de processus de consultation. Louise et moi sommes d'ailleurs actuellement partenaires de Consensus. Nous avons animé ensemble beaucoup de sessions et donné de la formation au Québec, en Tunisie et au Maroc. Le présent livre aurait pu être le sien. Mais il eût alors été fort différent! Seules les contraintes de temps nous ont empêchés d'en faire un livre commun.

Une partie de cet ouvrage s'inscrit dans des travaux réalisés pour la Chaire de recherche en éthique de l'environnement Hydro-Québec/McGill. Merci à la directrice de la Chaire, Marie-Hélène Parizeau. Si les travaux actuellement interrompus à la Chaire reprennent, je me propose d'explorer plus avant les dimensions éthiques des pratiques décrites dans le présent travail.

Par-delà les personnes nommées, la liste pourrait encore s'allonger. Je dois rendre hommage à toutes les personnes qui au long des années ont accepté de prendre la chance de la consultation publique et qui sont, chacune à leur manière, de véritables formateurs. La consultation publique est une aventure commune. Par bonheur, personne n'en sort tout à fait indemne.

Chapitre I

Des luttes plus proches du terrain

Comme toute préoccupation nouvelle qui émerge dans la société, celle de l'environnement n'a pu s'imposer qu'en haussant le ton, en criant très fort. C'est donc sous le mode de l'imprécation que l'environnement s'est imposé, sous la forme d'un débat d'idées et de principes qui frappe par sa globalité et sa généralité. Mais ce caractère général de la cause environnementale mène vite à une saturation: on se lasse à devoir, chaque jour, refaire le monde. En se diffusant, la question environnementale a donc pris des accents plus concrets et, de ce fait, pose à notre société des défis de régulation et d'intégration.

Petit rappel historique

Depuis quarante ans, la question environnementale aura fait couler beaucoup d'encre, soulevé beaucoup d'anxiété et suscité d'innombrables conflits. En 1962, Rachel Carson publie son fameux livre *The Silent Spring* (Le printemps silencieux) qui dénonce la pollution chimique, particulièrement celle causée par le D.D.T. Depuis 1945, la question nucléaire agite la conscience et soulève la peur: celle d'une puissance folle qui échapperait à la maîtrise humaine. Quand émerge l'hypothèse de l'utilisation industrielle de l'énergie nucléaire, le débat s'accélère. Aux États-Unis, en Allemagne, en France, diversement selon les pays, la culture, les forces sociales, l'environnement devient une cause pour laquelle on se bat. Pour ou contre le «progrès», pour ou contre la fuite en avant dictée par la techno-science. En 1966, Barry Consumer lance le thème de la science critique et affirme ainsi la nécessité de débattre de la certitude d'une science trop sûre d'elle-même. Autour de 1969-1972, la problématique de l'environnement s'accélère, cesse d'être un domaine clos pour spécialistes et tend à s'imposer comme une question publique et universelle. En 1970, aux État-Unis, on fête pour la première fois le Jour de la Terre. En 1972, le Club de Rome publie une étude de Meadows *(Halte à la croissance)* et la conférence de Stockholm donne lieu à de très solides affrontements: il faut redéfinir le développement et mettre en question les postulats d'une science et d'une technique infaillible (cf. J. Grinevald in Beaud et Bouguerra 1993: 30-34).

Des luttes de tous genres

Depuis ce temps, il n'est de dossier relié à l'environnement qui ne donne lieu à de multiples combats à caractère politique, social, économique, sur le plan local comme sur le plan national ou international. Nous avons connu à la fois l'âpre dénonciation de la chasse aux bébés phoques et la guerre du flétan noir, les débats sur l'autoroute Ville-Marie dans les années soixante-dix et ceux sur les battures de Beauport ou sur l'opportunité du port méthanier de Cacouna dans les années quatre-vingt.

De temps en temps, nous entendons parler d'actions sauvages, proches de l'écoterrorisme, comme ces billes de métal plantées par des militants écologistes dans les arbres et susceptibles de briser l'équipement des travailleurs forestiers chargés d'abattre les forêts (monkey-wrenching), ou comme l'annonce qui fut faite à Noël 1995 dans la région de Vancouver que des dindes mises en marché avaient été empoisonnées pour protester contre les méthodes d'élevage. Il s'agit là d'actions extrêmes, dangereuses, marginales et fort controversées. Nous connaissons mieux certaines interventions de Greenpeace, bien ciblées, souvent hautement médiatisées.

Mais sur le terrain concret, il n'est guère d'initiatives qui ne soulèvent débats et protestations dès l'instant où l'environnement est mis en cause: et il n'est guère de domaine où il ne le soit. Alors les gens essaient en général de saisir l'opinion publique, d'amorcer un débat en demandant une enquête, ou supplient les autorités municipales, provinciales, fédérales d'intervenir, ou bien intentent des procédures judiciaires quand le droit semble lésé, ou bien organisent des protestations de tous genres. Et avec quelle imagination! Ainsi en est-il de la pancarte sur le bord de l'autoroute des Laurentides qui dénonce les pluies acides, un problème connu et vulgarisé depuis quinze ans et dont, paradoxalement, une des causes premières est l'usage de l'automobile. Ailleurs, un groupe de citoyens exigera la fermeture d'un dépôt de déchets dangereux. Les sujets vedettes et controversés sont bien connus: les sites de traitement et d'élimination des déchets domestiques, et plus encore des déchets dangereux; les projets linéaires: lignes de transport d'énergie électrique ou projets de routes; les projets industriels de tous genres; les pratiques d'élevage et de culture dans le milieu agricole surtout celles de la production porcine, etc. Quand il s'agit de projets réglementés et soumis à la procédure d'évaluation et d'examen des impacts, les règles du jeu semblent claires. Tout le monde risque de se retrouver à l'audience publique. Dans le cas de projets récurrents, on a parfois l'impression d'une même pièce de théâtre, cent fois rejouée: mêmes rôles, mêmes acteurs, mêmes arguments mille fois repris; seuls les figurants changent. Dans les autres cas, on ne sait jamais de quel côté le vent tournera.

Après la saga de la construction de l'aéroport de Mirabel dans les années 1970, on nous annonce la fermeture partielle du même aéroport et le transfert d'une partie du trafic aérien en faveur de Dorval. Les villes au nord de Montréal se mobilisent et demandent à la fois une étude d'impacts et une discussion publique. À Montréal, une entreprise veut démolir le collège Villa-Maria et construire un complexe résidentiel haut de gamme. Mais une partie de la population s'inquiète de la disparition d'un espace vert et demande un débat public. La ville de Montréal autorise la démolition de la gare Jean-Talon, témoin unique d'une période révolue pour faire place à un marché à grande surface. Dans la région de North Hatley, la compagnie Cantel veut ériger un pylône de 134 mètres de hauteur en bordure d'un paysage zoné d'intérêt panoramique. Un comité de citoyens s'inquiète d'une telle possibilité et milite pour la sauvegarde de l'intégrité d'un paysage particulièrement harmonieux. La liste pourrait s'allonger.

Que ce soit pour des raisons économiques, de santé ou d'esthétique, l'environnement reste ainsi au cœur de débats importants. Plus encore, une chose semble acquise: s'il s'agit d'une question d'environnement, il faut en débattre. D'autres questions aussi complexes ne soulèvent pas autant de débats. Mais quand le mot magique environnement est évoqué, il va comme de soi que le débat public s'impose. Nous ne sommes pas ici dans le domaine du privé, de la simple opinion personnelle. Nous sommes d'emblée dans un domaine public, où d'autres partenaires sont convoqués de diverses manières: les autres générations, les espèces faibles et menacées, ou tout simplement la Terre. L'écolier, l'écolière qui recycle du papier a conscience de protéger les arbres de nos forêts et de participer au sauvetage de la planète. Il percevra les pollueurs comme des criminels.

Ces petits signes montrent à quel point en trente ans l'environnement a acquis droit de cité et s'est imposé comme une des questions majeures de notre époque. Il ne s'agit plus là de la cause si particulière défendue avec tant d'acharnement par quelques prophètes qui se devaient de parler fort et haut, compensant par leur dramatisation leur faible représentativité démographique. Hier, le débat était pathétique, alarmiste, porté par un petit nombre de convaincus, véritables saints ou prophètes. Qui ne se rappelle d'Alain Bombard? Maintenant le débat a été diffusé, généralisé, un peu banalisé. Il a perdu en intensité, mais gagné en diffusion.

La fébrilité, voire la virulence, des grandes années semble avoir laissé place à un ton plus modéré. Il ne faut pas conclure pour autant que les enjeux soient moindres, ni les débats moins importants. L'environnement ayant acquis sa légitimité, les débats sont à la fois plus nombreux et plus ponctuels, obligeant alors à recourir à des processus de régulation plus variés et plus souples.

Un exemple typique: l'Éco-Sommet

Règle générale, le milieu écologique se présente comme une instance critique, une force d'opposition face à l'idéologie d'un développement sauvage qui traite les contraintes environnementales de fantaisies de rêveurs, ou de considérations inopérantes puisqu'on ne parvient pas à les mesurer et à leur attribuer un prix. Sans la critique écologiste, la logique économique s'en remettrait exclusivement aux seuls mécanismes du marché, sans perspective à long terme, sans prise en compte des fragilités de la nature, sans souci des laissés pour compte. La critique écologiste instaure donc un jugement, un tamisage des projets sous la triple perspective du long terme, de la capacité portante du milieu naturel et de l'équité sociale. Pourtant à toujours dénoncer sans proposer soi-même, cette critique risque de se donner infailliblement le beau rôle: à la longue, elle y perd sa propre crédibilité, s'attirant le reproche de ressembler à des enfants jamais satisfaits, qui disent, contredisent et exigent, mais ne font rien.

Dans ce contexte, l'initiative de l'Éco-Sommet est révélatrice d'un sérieux changement de perspective. Présidé et dirigé par Pierre Gosselin, médecin spécialiste en santé environnementale, ambassadeur de l'UQCN pour la tenue de l'Éco-Sommet et militant réputé dans le domaine de l'environnement, l'Éco-Sommet s'est tenu à Montréal du 6 au 9 mai 1996. Préparé pendant deux années, l'Éco-Sommet cherchait à faire le point sur le développement durable, concept mis de l'avant par la Commission Brundtland (CMED 1988) pour intégrer et réconcilier le développement, l'environnement et les soucis d'équité.

Il visait donc moins à critiquer, dénoncer, jeter des cris d'alarme qu'à convoquer des partenaires pour favoriser des engagements, comparer des actions, coordonner des efforts, mettre en œuvre des concepts nouveaux susceptibles d'améliorer la situation sans pour autant abandonner tout esprit critique. L'Éco-Sommet a cherché à faire un bilan des réussites (estimées à 400) et des «projets en développement durable qui vont changer le Québec» (estimés à 500). Les différences et les divergences ne sont pas aplanies pour autant, mais il devient visible qu'elles passent moins entre des clans clairement définis (les bons, les mauvais, les développeurs et les conservationnistes, les consommateurs et les écologistes, etc.) qu'à l'intérieur de chaque groupe dans une négociation serrée entre le possible et le souhaitable.

En ce sens, l'Éco-Sommet illustre un changement de cap dans les stratégies du mouvement environnemental au Québec. Il ne fait pas l'unanimité, bien sûr, et une portion du milieu écologiste reste comme à distance, avec un brin de scepticisme. Bien que critiques et plutôt en désaccord, les représentants de cette fraction du milieu écologiste ne se situent pas pourtant à l'extérieur. Présents au Sommet, ils rappelaient constamment ce qui à leurs yeux ne doit jamais être oublié ni mis en veilleuse. Il faut alors parler de vigilance critique et non d'opposition. L'antagonisme cède la place à une volonté de concertation.

Chapitre II

Rio et la conscience internationale

La conférence de Stockholm (conférence des Nations unies sur l'environnement, 5-16 juin 1972) a fait date puisqu'elle constituait le premier grand jalon d'une prise de conscience globale de l'humanité à l'égard des questions environnementales. En 1983, l'Assemblée générale des Nations unies créait la Commission mondiale pour l'environnement et le développement (CMED). La présidence du groupe formé de 21 personnes fut assumée par Mme Gro Harlem Brundtland, première ministre de la Norvège. Le rapport de la Commission est paru en 1987 en langue anglaise *(Our Common Future)*, et en 1988 en langue française *(Notre avenir à tous)*, chez un petit éditeur québécois, décision qui n'a pas beaucoup contribué à la diffusion d'un texte de cette importance dans le domaine francophone (CMED 1988).

Bien qu'il s'agisse d'un texte de compromis, le rapport Brundtland demeure un document impressionnant et courageux: il comprend un rapport synthèse de 28 pages et un texte de support considérable en douze chapitres (420 pages). Le rapport Brundtland affirme la possibilité de tenir ensemble le développement et la protection de l'environnement en proposant le concept de développement soutenable, ou durable: «répondre aux besoins du présent sans compromettre la possibilité pour les générations à venir de satisfaire les leurs» (CMED 1988: 10). Trois notions s'imbriquent ici les unes dans les autres: la satisfaction des besoins, les limites imposées par les capacités du milieu écologique et par l'organisation sociale et l'équité sociale inter et intragénérationnelle.

En ce qui concerne la participation publique, le rapport Brundtland avance l'idée que pour parvenir à un développement durable, il faut cesser de fragmenter les décisions: «il faut en effet instaurer une responsabilité plus large pour les effets de certaines décisions» (CMED 1988: 73). D'où il conclut à la nécessité d'informer le public et d'assurer sa participation aux décisions. Droit à l'information et à la consultation, droit à des mesures correctives et à des compensations juridiques (CMED 1988: 396-7). La voie de Rio était désormais balisée.

Le sommet de Rio

Si courageux soit-il, le rapport Brundtland ne reste qu'un rapport. Il n'engage personne, sauf ses auteurs. Les États peuvent continuer leur route sans modifier leurs priorités. Pour modifier les conduites, il faut autre chose: un engagement officiel, un texte contraignant. Ainsi s'explique la décision de l'Assemblée générale des Nations unies (22 décembre 1989) de convoquer une réunion mondiale qu'on appellera ensuite Sommet de la Terre (3 au 14 juin 1992, à Rio de Janeiro).

Pour cette réunion, les organisateurs souhaitaient mettre au point un texte solennel et engageant, une Charte de l'environnement, qui aurait amorcé le XXIe siècle en posant la Terre comme un tiers face à l'humanité. Il a fallu vite déchanter: impossible de faire consensus sur ce point. On a donc abouti plus simplement à une Déclaration sur l'environnement et le développement, à un programme appelé Action 21 (en anglais *Agenda 21)* qui propose un programme pour le XXIe siècle et à la mise en place de conventions dont la plus importante porte sur la préservation de la diversité biologique.

La Déclaration de Rio reprend, sur la participation du public, les idées de Brundtland sans les pousser plus loin: «la meilleure façon de traiter les questions d'environnement est d'assurer la participation de tous les citoyens concernés, au niveau qui convient» (principe 10). Le texte évoque l'accès à l'information, la sensibilisation et la participation du public, les actions judiciaires et administratives. Rien de bien neuf, sauf qu'il s'agit maintenant d'une Déclaration officiellement adoptée par les Nations unies. C'est large, généreux, mais relativement vague. L'État a certes le devoir de faciliter et d'encourager la participation, de rendre les informations disponibles, etc. Mais rien n'est dit sur les manières de faire ni sur les moments cruciaux où il faut faire quelque chose. Dans ce public indifférencié, la Déclaration de Rio identifie trois sous-groupes: les femmes qui «ont un rôle vital dans la gestion de l'environnement» (principe 20); les jeunes dont «il faut mobiliser la créativité, les idéaux et le courage» (principe 21); les populations et communautés autochtones et les autres collectivités locales qui ont un rôle vital à cause «de leurs connaissances du milieu et de leurs pratiques traditionnelles» (principe 22). C'est finalement assez mince.

L'Action 21

La Déclaration de Rio se présente comme une proclamation de principes communs acceptés par la Communauté internationale. Pour aller plus loin, les Nations unies ont ensuite adopté un programme d'action pour le XXIe siècle. D'où son titre: Action 21 qui présente, en quarante chapitres, des principes, des objectifs, des activités et des moyens d'exécution en vue d'assurer l'intégration de l'environnement et du développement. Le chapitre VIII aborde la question des processus de prises de décisions. Il laisse entendre que, pour prendre de meilleures décisions, il faut changer la manière de décider. Il faut instaurer de nouvelles instances de dialogue pour que tous les milieux, y compris les groupes écologiques et le public, soient impliqués. Il faut «mettre en place des mécanismes, ou renforcer ceux qui existent, pour faciliter la participation des particuliers, groupes et organismes intéressés au processus décisionnel à tous les niveaux» (8.3c). Mais le chapitre insiste moins sur la participation que sur l'intégration des données sociales, économiques et écologiques dans les décisions. Le processus est technico-scientifique plus que social.

Au chapitre XXIII qui sert de préambule à une section sur le renforcement du rôle des groupes qui composent la société, un certain nombre d'affirmations sont posées: une large participation du public est indispensable. Il faut de nouvelles formes de participation. Les procédures d'évaluation des impacts devront être accessibles aux particuliers, aux groupes et aux organisations. Suivent des chapitres sur les femmes (XXIV), les enfants et les jeunes (XXV), les populations autochtones — les termes nations ou peuples ne sont pas utilisés — (XXVI), les collectivités locales (XXVIII), les travailleurs et les syndicats (XIX), le commerce et l'industrie (XXX), la communauté scientifique et technique (XXXI), les agriculteurs (XXXII). Il convient de signaler également le chapitre XXVII sur les organisations non gouvernementales (ONG).

Les ONG ont été les grands artisans du Sommet de Rio. Face aux États dont la volonté de parvenir à une entente était chancelante, face aux jeux de diplomatie, les ONG ont joué un rôle critique extrêmement important. Elles ont mobilisé l'opinion publique mondiale. Elles ont alerté les médias, tant au plan local qu'au plan international, forçant ainsi les chefs d'État à bouger. Elles ont donc été dans une large mesure les artisans de Rio et en furent par voie de conséquence les grandes gagnantes. Elles ont acquis une reconnaissance officielle. Désormais, les ONG sont des partenaires nécessaires.

Paradoxalement, le terme lui-même n'est pas défini, si ce n'est négativement: ne pas relever d'un gouvernement. Leur indépendance est leur qualité majeure «et l'une des conditions d'une participation effective» (27.1). Les ONG jouent un rôle essentiel dans la promotion d'un idéal commun. Elles possèdent expérience et compétence. Au plan mondial, elles forment un véritable réseau.

Cet accent sur les ONG est à la fois compréhensible et paradoxal. Compréhensible puisque certaines ONG sont impliquées depuis longtemps, regroupent des experts reconnus et témoignent d'un engagement sans défaillance. On peut penser à l'UICN (Union internationale pour la conservation de la nature) dont le rôle a été déterminant au plan international depuis trente ans, aux grandes sociétés américaines: Audubon, Sierra Club, NRDC, et à d'autres organisations internationales comme Greenpeace et les Ami-e-s de la Terre. D'autres ONG sont de caractère local et peuvent militer pour des causes très pointues: les animaux, telle espèce d'arbres, tel milieu particulier. Il existe des ONG minuscules, d'autres immenses; certaines sont très structurées, d'autres ont une organisation plus floue; certaines sont très démocratiques, d'autres paraissent le fait de leaders charismatiques. Chaque ONG en un sens se donne à elle-même un mandat dont elle tire en somme sa légitimité et sa crédibilité. D'où l'importance extrême d'informations claires sur le financement et le membership. Le temps de la guerre froide nous a laissé de cruels souvenirs quand on s'est aperçu que de grandes associations pour la paix avaient été des instruments déguisés de l'URSS. D'où la remarque d'Action 21:

> «Afin de renforcer le rôle des ONG en tant que partenaires sociaux, le système des Nations unies et les gouvernements devraient, en consultation avec ces organisations, entamer un processus visant à passer en revue les procédures et mécanismes officiels relatifs à la participation de ces organisations à tous les niveaux, de l'élaboration des politiques et des décisions à leur application.»

On peut lire ce texte de deux façons: comme une invitation à intégrer les ONG dans les processus et comme l'annonce d'exigences de contrôle pour être reconnu. Les deux dimensions s'imbriquent l'une dans l'autre.

Conclusion

Même si les textes issus de la Commission sur l'environnement et le développement et du Sommet de Rio demeurent généraux et assez timides, il semble acquis que la participation publique est une nécessité si on veut assurer le développement durable. Les gouvernements ont besoin de la participation d'un public informé et concerné par l'environnement. C'est plus que souhaitable: c'est nécessaire. Pour assurer cette participation, le rôle des ONG est indispensable, notamment à cause de leur compétence et de leur indépendance. Action 21 dit même: «les ONG jouent un rôle vital pour ce qui est de modeler et d'appliquer la démocratie participatoire» (27.1). En français, on dit préférablement démocratie de participation, laquelle se présente comme un complément nécessaire à la démocratie de représentation. Or, dans bien des pays, le mot démocratie reste suspect, voire même tabou.

Au-delà des formules prudentes et parfois ampoulées du langage international, il semble acquis que la prise en compte de l'environnement oblige à élargir le système de décision en deux sens: dans le sens du contenu, pour inclure l'environnement au même titre que les autres disciplines, surtout l'économie; dans le sens du processus, pour inclure les populations concernées par les projets et les organismes qui, de mille manières, s'intéressent à l'environnement sans faire partie de l'appareil gouvernemental.

En environnement, c'est toute la société qui est concernée.

Chapitre III

L'environnement, source de débats et de conflits

Dans le village fictif de Roche-Ancienne, un entrepreneur, Jos Tardif, veut tirer profit d'un terrain laissé à l'abandon: un examen sommaire des lieux l'a convaincu de la possibilité d'exploiter une carrière et une sablière à cet endroit. Ce serait payant pour lui et utile pour les gens puisque tout le monde a besoin, à un moment ou l'autre, de sable ou de gravier. Mais, à peine annoncé, voici que le projet soulève des inquiétudes. Les résidants du troisième rang s'inquiètent en effet de l'augmentation subite du trafic qu'un pareil commerce pourrait provoquer. Le troisième rang, c'est la tranquillité même. Les enfants y jouent volontiers sur le chemin public et, l'été, les gens s'y promènent sans inquiétude. Si on ouvre une carrière et une sablière, on verra arriver de gros camions qui feront du bruit, soulèveront la poussière et constitueront un danger pour les piétons et les automobilistes du troisième rang. Arthur Longtin, pour sa part, craint énormément pour son puits. Une sablière, à la longue, ça fait un grand trou. Comme il habite tout près de l'éventuelle sablière, il a peur qu'un grand trou plus profond que son puits ne tarisse sa source. «S'il me faut creuser un puits, Jos Tardif va-t-il payer pour cela?» Arthur Longtin se rappelle son cousin André qui avait vécu un cas analogue à Saint-Hermas...

C'est ainsi que, de fil en aiguille, l'opposition se forme contre le projet de Jos Tardif. Tout le troisième rang se ligue contre le projet: risque d'accidents, nuisances diverses, détérioration de l'environnement. Louise David obtient une motion d'opposition du Cercle des fermière et de l'AFEAS. Ghislaine Dubeau alerte l'école du village et cherche à obtenir l'appui de la commission scolaire contre un tel projet. Le jeune Marc Langlais cite des textes éminents et parle de développement durable: «Jos Tardif veut s'enrichir, mais à long terme, nous allons tous perdre.»

Pourtant Jos Tardif a des alliés. Le maire et ses conseillers, sauf évidemment le conseiller du district numéro 2 où se trouve le troisième rang, voient d'un bon œil l'ouverture d'une nouvelle entreprise. Dans le marasme économique actuel, une petite compagnie locale, c'est de l'eau au moulin. Jos Tardif n'a pas mauvaise réputation. Sable et gravier sont d'usage courant. Le terrain visé est à l'abandon depuis dix ans. Tardif devra employer des camionneurs, en général des hommes et plutôt jeunes. Des emplois ici, pour des gens d'ici. Que peut-on demander de mieux?

Selon la dynamique locale, on pourra trouver rapidement des solutions à la satisfaction de chacun (une étude sommaire, des heures d'opération limitées, une route nouvelle pour les camions, des mesures de protection, des mesures de surveillance, des rencontres de toutes les parties), ou le conflit dégénérera en s'amplifiant: la MRC s'en mêlera, puis le député, et l'opposition. Le village risquera de se diviser en deux camps, selon les vieux clivages et les vieilles querelles. Divers arguments seront invoqués: le long terme ou le court terme, la rentabilité financière ou la prise en compte des effets sur l'environnement, la santé, la sécurité, la qualité de la vie, le développement économique, la protection du paysage et de l'environnement. Certains rêvent de faire de Roche-Ancienne une ville moderne alors que d'autres veulent lui garder son caractère bucolique et rural.

C'est ainsi que l'environnement devient une question carrefour où les conflits sont souvent d'autant plus difficiles que les enjeux et les intérêts sont plus vagues et plus généraux et que les partenaires et adversaires sont plus nombreux. Plus les intérêts sont simples et bien délimités, plus les conflits sont faciles à régler. Plus ils sont flous, plus il est difficile de voir clair. Comme disent les avocats: «quand le droit est clair, on règle; quand le droit est flou, on plaide.» Si l'environnement est autant objet de controverses, ce n'est pas parce que les acteurs y sont moins responsables mais plutôt parce que les questions y sont nouvelles, moins connues, plus difficiles à cerner.

Qu'est-ce que le conflit?

On peut définir le conflit de bien des manières. De manière descriptive, le conflit désigne «une situation complexe qui se définit d'abord par une certaine structure des relations sociales. Le conflit peut mettre en présence des individus (conflit *interpersonnel*), des groupes (conflit *intergroupes*), des organisations sociales (conflit *social*), ou des nations (conflit *international*). Mais la notion du conflit peut être fort variée» (Touzard 1977: 48).

Nous analyserons plus loin les composantes biologiques, psychiques et sociales des conflits ainsi que les systèmes d'interprétation en cours. Il suffit pour l'instant de décrire sommairement trois types de conflits: conflits interpersonnels, conflits de travail, conflits en environnement.

... conflits interpersonnels

Les conflits interpersonnels mettent en cause des individus dans leurs relations personnelles. Les dimensions affectives y jouent un rôle prépondérant. Le champ le plus connu est celui de l'amitié et de l'amour. Qu'on pense, par exemple, aux frères ennemis dont le prototype est Caïn et Abel, où à deux amis très proches, qui passent d'une amitié fusionnelle à une opposition systématique. Ici l'amour s'inverse en haine et tout ce qui, autrefois, faisait plaisir devient un motif supplémentaire de détestation. Dans le couple homme-femme, cette tension est à son paroxysme. La montée rapide du divorce dans notre société et la fréquence d'un processus d'affrontement à travers lequel les anciens amants semblent autant voués à la destruction de l'autre qu'ils ont été plus déçus témoignent de cette ambivalence profonde de l'amour qui se change en haine, ou de la haine entretenue qui ressemble à une manière d'aimer malgré tout. Ici ce n'est pas le gain ou l'avantage qui est l'enjeu, mais l'image de soi-même. Ce qui est cherché à travers le conflit, c'est l'autonomie face à l'autre dont le poids ou la domination est devenu trop lourd et ressemble à une menace personnelle. Conflit de l'amour, de l'amitié, ou simplement de la proximité trop grande comme on la trouve, parfois, dans le voisinage ou le travail. En général, les conflits interpersonnels se résolvent par la seule dynamique des acteurs: rappelons-nous nos incessantes querelles d'enfants avec nos amis. Mais un certain nombre de situations font appel à des interventions spécialisées dont la plus connue est le divorce pour les gens mariés, ou le procès entre voisins. Le tribunal doit trancher, imposer une solution, ou ratifier la solution convenue entre les parties. Mais différents services à caractère psychologique peuvent aider les acteurs à grandir à travers l'épreuve commune et à trouver des solutions rationnelles au-delà de la pulsion des sentiments. On pense en particulier à la médiation familiale comme moyen pour éviter la guerre juridique (Laurent-Boyer 1992). Dans les conflits de voisinage, même les policiers agissent parfois comme agents de bonne entente.

... conflits du travail

Le deuxième secteur bien connu du conflit est celui du travail. Le plus souvent, il n'y a plus simplement un employeur et des employés, comme cela arrive dans le cas de la petite entreprise où les liens interpersonnels pèsent encore si lourd, pour le meilleur et pour le pire. Mais dès l'instant où l'entreprise acquiert une certaine ampleur, les forces deviennent comme impersonnelles: on parle alors de capital et de travail, comme si, au-delà des seules personnes concernées, il y avait un ordre de choses qui s'impose aux acteurs. Depuis le XIXe siècle, la question ouvrière et la question sociale se recoupent et nos sociétés ont patiemment élaboré des codes pour institutionnaliser les conflits de travail et ensuite les régler. Les législations ont, en un sens, structuré le conflit, analysé, décortiqué, défini ses moments critiques, institutionnalisé des pratiques de négociation, de conciliation, de médiation et d'arbitrage, prévu la grève ou le lock-out, les procédures de grief, les protocoles de retour. Même si les acteurs impliqués sont nombreux et diversifiés de part et d'autre (du côté du travail: différentes unités de négociation, syndicats multiples, unités syndicales d'allégeances idéologiques et politiques diverses; du côté patronal: actionnaires multiples, tensions entre patrons locaux et patrons internationaux, concurrence, etc.) on reste la plupart du temps dans un conflit binaire: capital-travail. Occasionnellement, le conflit est à trois acteurs: capital, travail, État, dans la mesure où l'État tend à devenir un employeur ou qu'il cherche à s'impliquer dans le conflit pour des raisons sociales, politiques, économiques ou idéologiques. Très souvent, patrons et syndicats cherchent à impliquer l'État dans leur conflit.

... conflits environnementaux

Si le conflit social a eu tendance pendant longtemps à se confondre avec le conflit de travail, c'est beaucoup à propos de l'environnement que naissent maintenant les nouveaux conflits. Comme l'environnement est un lieu d'émergence des questions non résolues de notre société, questions techniques et scientifiques, idéologiques, éthiques, les conflits d'environnement surgissent partout. Voyons-en rapidement quelques caractéristiques:

— Les problèmes sont souvent mal définis et difficilement isolables, surtout chez ceux qui veulent tenir un discours de type holistique. Que peut faire un promoteur quand on lui demande de mesurer la contribution de son projet à l'effet de serre, problème global et universel s'il en est un? Il peut expliquer, par exemple, que les mesures antipollution mises en œuvre diminueront la pollution atmosphérique et, par le fait même, l'effet de serre, mais un objecteur pourra soutenir que le bien produit, ou le service offert, généralise un certain style de vie lequel est la cause fondamentale de la détérioration de l'environnement. Non seulement les problèmes sont-ils alors difficiles à définir et à isoler, mais il peut y avoir controverse sur leur définition même.

— Les protagonistes des conflits sont nombreux et chacun peut faire valoir des intérêts. Au lieu d'un conflit «simple» à deux ou trois acteurs, on se retrouvera devant une multitude d'acteurs aux intérêts parfois convergents et parfois divergents. Qu'il suffise de rappeler les tensions entre les agriculteurs et les chasseurs dans le cas des marais de Kamouraska, ou même le dossier du remblayage de la rivière Godefroy, où les intérêts des pêcheurs contredisaient ceux des chasseurs dans un milieu où le remblaiement partiel d'un marais enclenchait l'établissement d'un nouvel équilibre écologique (BAPE 17). Ainsi, dans un conflit environnemental, les parties sont nombreuses, mal identifiées, avec des frontières fluctuantes, de taille et de compétence technique très variables.

— L'intérêt commun est constamment évoqué comme une instance critique de l'intérêt d'un seul ou de quelques-uns, typique d'une approche strictement financière. D'où les appels déroutants au «droit» de la nature, des arbres et des espèces menacées, au «droit des animaux à disposer d'eux-mêmes.» La convention sur la diversité biologique, en vigueur depuis le 29 décembre 1993, évoque «la valeur intrinsèque de la diversité biologique.» L'intérêt commun émerge aussi quand on parle du droit des plus pauvres, ou de la nécessité de prendre en compte les générations à venir.

- Les conflits en environnement dépassent constamment les dimensions techniques au profit de représentations symboliques plus larges: les principes, les valeurs, la mise en question du déterminisme scientifique au profit de zones d'indétermination, de la théorie du chaos, des «sciences de l'imprécis» (Moles). Nous sommes ici toujours à la frontière de la croyance, ou du moins de la mise en question de représentations du monde reçues, d'autres diraient de «paradigmes nouveaux». Souvent le technicien, l'ingénieur, le gestionnaire ne comprennent pas les types de raisonnement mis de l'avant précisément parce que la façon de poser les problèmes déroute leur capacité d'appréhension de la réalité, inculquée par leur formation professionnelle.

- L'horizon de temps évoqué déborde constamment l'ordre habituel de référence. L'horizon du politicien dépasse rarement cinq ans, le temps de la prochaine élection. Le temps des planificateurs s'échelonne sur dix ou quinze ans. Les calculs économiques sont invalides pour une période dépassant vingt-cinq ans. Or, le temps écologique et le rythme de la nature sont d'un autre ordre. Il a fallu, par exemple, 25 ans pour constater les effets pervers du D.D.T. On estime que les CFC qui seraient une des causes de la destruction de la couche d'ozone séjourneraient dans l'atmosphère de 75 à 125 ans. Il est même possible que la pollution atmosphérique mesurée actuellement corresponde à la situation industrielle d'il y a quarante ou cinquante ans. Perspective troublante, s'il en est. Le temps de l'adaptation biologique se mesure en milliers d'années.

- Cette dimension du temps est le corollaire d'une autre composante très lourde en environnement qui consiste dans le contrôle de la zone d'ignorance. L'alerte écologique est essentiellement une alerte à l'ignorance. Le savoir du XIXe siècle a été un savoir triomphant dans une conception déterministe des choses. Or, la crise écologique fait la démonstration de l'échec d'une partie de cette science qui n'a pu prédire la dégradation du milieu et s'acharnait même à nier les effets pervers de certaines interventions. La science n'est donc pas accusée de simple ignorance, mais d'une prétention à un savoir abusif. Elle a cherché à cacher ou à nier son ignorance et, par conséquent, à refouler ses zones d'incertitude. Or, ce sont précisément les marges d'incertitude qui constituent l'enjeu du problème écologique: sommes-nous ou non en état de péril? Dans une négociation simple, la partie qui contrôle l'incertitude acquiert un pouvoir considérable sur les autres (Crozier et Friedberg 1977). En environnement, personne ne connaît toute la réalité et la partie qui prétend savoir davantage, la communauté scientifique et technique, est en réalité celle qui est le plus mise en accusation, dont la marge d'ignorance semble la plus élevée. D'où le premier paradoxe, que le plus fort, au départ, se révèle souvent le plus faible à la longue, mais également un second paradoxe, à savoir que tous les acteurs, ensemble, doivent admettre leur faiblesse commune. Ici, tous les acteurs sont faibles et ne peuvent prétendre diminuer l'incertitude qu'en partageant leur savoir.

Ainsi les conflits environnementaux sont-ils bien plus complexes que les conflits usuels de notre société, y compris les conflits de travail et les conflits politiques. Ils constituent un espace imprécis, global et touffu où s'engouffrent de nombreuses attentes, sociales, politiques, éthiques, spirituelles qui n'ont pas de lieu propre d'expression actuellement. Ce qu'on appelait autrefois la gauche se retrouve souvent de manière implicite dans les conflits à caractère environnemental. L'environnement sert aussi de matrice à de nouvelles utopies à la fois fascinantes et dangereuses.

Si les sociétés industrielles ont appris à faire face aux conflits du travail, elles n'ont pas encore appris à régler correctement les conflits en environnement. Sans doute, la situation est-elle à la fois trop neuve, complexe, trop confuse. Mais nous ne sommes pas pour autant entièrement démunis.

La régulation du droit

Depuis une vingtaine d'années, c'est à travers l'exercice du droit que notre société a tenté de gérer les conflits en environnement. Dans le chapitre suivant, nous donnerons plus en détail les moments principaux de la procédure d'évaluation et d'examen des impacts, qui s'apparente à une procédure d'arbitrage. Quand, au tournant des années soixante-dix, la question écologique est devenue une question politique, c'est par le moyen du droit qu'une régulation s'est imposée. Les attentes du public et la pression politique ont forcé l'État à définir des lois et des règlements qui obligent à tenir compte de l'environnement dans la réalisation d'un certain nombre d'activités. Essentiellement, il s'agit donc d'obliger des «pollueurs» à tenir compte de l'environnement en respectant un certain nombre de normes et de procédures dont la finalité est de protéger l'environnement, d'en garantir la pérennité et de protéger la santé, le bien-être et les biens des communautés humaines affectées.

Depuis vingt-cinq ans, nous avons assisté à une prolifération phénoménale du droit de l'environnement: droits nationaux, pour chaque État, mais de plus en plus aussi droit international (Kiss in Beaud et Bouguerra 1993: 420). En France, on parle d'un millier de textes législatifs (Kiss 1989: 7). Au Québec (la première loi sur la qualité de l'environnement date de 1972), le droit de l'environnement (en date de 1991) consiste en douze lois, trente-huit règlements, quatorze directives, sept politiques, sans compter d'autres lois et règlements incidents et les règlements municipaux. Le droit fédéral de l'environnement n'est pas moins volumineux. Et que dire des chevauchements potentiels de juridiction entre l'un et l'autre droit?

Le droit de l'environnement se particularise de trois manières:

> «La première de ces caractéristiques découle de la nature interdisciplinaire de tout ce qui touche à l'environnement. Le droit, «bras séculier» indispensable pour mettre en place des mesures de protection, ne peut remplir cette fonction que sur les indications et avec l'assistance d'autres disciplines qui connaissent les aspects physiques, chimiques, biologiques, etc. de l'environnement, décèlent les détériorations de la biosphère, les évaluent et proposent des remèdes que le législateur doit ensuite traduire dans un langage juridique — c'est-à-dire de commandement ou, parfois, d'incitation — non sans tenir compte de données que des économistes et des sociologues sont susceptibles de lui fournir.
>
> «Un deuxième trait essentiel du droit de l'environnement est le rôle des facteurs dont les effets dépassent les frontières étatiques et qui, par voie de conséquence, soulignent l'importance de la coopération internationale. Ni la mer, ni les cours d'eau, ni l'air, ni, enfin, la faune et la flore sauvages ne connaissent de frontières; souvent les pollutions qui, par ailleurs, peuvent passer allègrement d'un de ces milieux dans d'autres, ne peuvent être combattues que dans un contexte international (...).
>
> «Un troisième élément qui détermine la spécificité du droit de l'environnement est sa finalité même. La protection de l'environnement met en cause non pas des relations entre humains et leurs rapports à des «choses» mais des rapports entre humains et êtres vivants, voire des processus.» (Kiss 1989: 8-9.)

Ces trois caractéristiques laissent entrevoir la force et les limites du droit dans sa capacité de gérer la question environnementale. Médiation indispensable, et pourtant limitée puisque la question écologique déborde toujours ses frontières scientifiques, spatiales et éthiques. D'où les impasses d'une approche qui s'en tiendrait au seul droit ou à l'arbitrage d'un juge.

Un cas type: le débat sur l'énergie

Au Québec, depuis la mise en place de la procédure d'évaluation et d'examen des impacts et la création du Bureau d'audiences publiques sur l'environnement (BAPE) en 1978, le milieu écologiste s'est accoutumé à la procédure d'audiences publiques du Bureau. Il en possède bien les règles et les exigences et a appris à s'en servir à son avantage. Il s'agit d'une procédure quasi judiciaire, réglementée, avec pouvoir d'enquête, qui aboutit à une forme d'arbitrage non contraignant rendu par une commission indépendante (voir chapitre suivant). Cette procédure a les avantages du droit: elle est publique, transparente, rigoureuse, rendue par un tiers. Elle a aussi des désavantages: elle provoque l'antagonisation des parties et ne permet pas beaucoup de créativité.

Depuis un certain nombre d'années, bien des gens demandaient au Québec un débat sur l'énergie afin d'établir une politique énergétique qui tienne compte à la fois de la spécificité de la situation québécoise, caractérisée par l'hydro-électricité, des questions écologiques à court et à long terme, de la planification intégrée des ressources et des dimensions politiques, sociales et stratégiques. On déplorait devoir analyser les projets l'un après l'autre, sans disposer d'un portrait d'ensemble. En décembre 1994, le ministre des Ressources naturelles, M. François Gendron, annonça la tenue d'un débat sur l'énergie. Au lieu d'une commission d'enquête indépendante s'inscrivant dans une procédure très formelle apparentée à celle du BAPE, il désirait un groupe de travail formé de représentants de divers milieux afin de parvenir à une proposition qui fasse consensus. Il voulait autour de la table des représentants de tous les milieux, des producteurs et vendeurs d'énergie, des consommateurs, des gens du milieu écologiste, des représentants régionaux.

Quand le ministre a annoncé son projet et invité trois associations écologistes (Greenpeace, Enjeu et l'UQCN) à participer, le milieu écologiste a dénoncé vertement l'hypothèse en réclamant une commission d'enquête indépendante selon la formule du BAPE. Le différend a donné lieu à une série de conversations entre le ministre et les groupes écologistes. Le ministre a d'abord consenti à allonger les délais. Il a ensuite créé deux groupes de travail en séquence: un premier groupe appelé Comité d'experts (Paul-André Comeau, avec Louise Roy et Jean-Marc Carpentier) chargé de diffuser l'information et d'animer le débat; un second groupe appelé Table de consultation proprement dite regroupant des représentants des milieux concernés. Comme les écologistes tardaient à donner leur réponse, le ministre a lancé son projet, gardant trois postes ouverts aux groupes invités. Greenpeace et Enjeu ont fait volte-face et accepté de participer à la table de collaboration, tandis que l'UQCN a refusé l'invitation trouvant l'hypothèse du ministre, inspirée des processus de collaboration, inadéquate. Le ministre a comblé le poste en nommant un écologiste réputé.

L'ensemble du processus a duré près de quinze mois. La première partie de la consultation a donné lieu à de très nombreuses rencontres publiques et communications permettant d'étoffer le débat malgré un document de départ assez mince. La table de consultation, pour sa part, a entendu plus de 285 mémoires et poursuivi ses travaux pour aboutir à un rapport unanime rendu public le 2 avril 1996. Au plan du «glamor», le débat public n'a peut-être pas eu l'éclat qui plaît aux médias et n'a pas déchiré la population en deux camps. Au plan du résultat réel, nous sommes en présence de propositions politiques concrètes déjà convenues par les forces en présence et qu'il s'agit de mettre en œuvre. Mieux encore, des acteurs importants ont appris à se parler et pourront continuer à le faire à l'avenir. Il est encore trop tôt pour parler de réussite, mais on peut penser que des déblocages ont eu lieu.

D'ailleurs, dans son rapport final, la Table de consultation a parlé de sa propre expérience comme d'un «pari gagné».

> «En lançant le Débat public sur l'énergie, le gouvernement faisait un pari: celui qu'au terme de l'exercice, il dispose d'une grille d'analyse, d'un ensemble de recommandations cohérentes et opérationnelles, en vue de l'élaboration de la future politique énergétique. Les membres de la Table de consultation sont persuadés qu'au terme d'un brassage d'idées comme le secteur énergétique québécois n'en avait jamais connu jusqu'ici, ce pari a été gagné. Ils remettent au gouvernement un rapport sur le contenu duquel ils s'entendent unanimement, malgré la diversité des milieux dont ils sont issus. Ce rapport reflète et prolonge les multiples suggestions et réflexions échangées au cours du Débat public. Il en illustre la richesse. Il devrait se concrétiser dans la future politique énergétique gouvernementale.» (MRN 1996, p. 139.)

Nous ne prétendons pas que l'expérience mise en œuvre par le Débat sur l'énergie constitue désormais la vraie manière de faire. Elle nous semble illustrer modestement une réalité plus complexe: il y a plusieurs bonnes manières de faire et il faut chercher à chaque fois la méthode qui offrira le plus d'avantages et le moins d'inconvénients. Lors de l'annonce du débat sur l'énergie, le milieu écologiste préférait visiblement un débat à la manière du BAPE, c'est-à-dire antagoniste et dirigé par un tiers indépendant jouissant d'un statut d'arbitre. Les solutions retenues, après de nombreux ajustements, ont permis de réaliser un débat public long, substantiel et très large. Mais son processus a conduit une table de treize personnes issues des milieux concernés à s'entendre sur des propositions communes.

Par rapport à l'objectif visé, c'est-à-dire une politique acceptable, on peut penser que le chemin parcouru était le bon dans ce cas-là, sans laisser croire que tous les problèmes sont désormais réglés. En politique, rien n'est jamais acquis.

Conclusion

Autant qu'avant, et probablement davantage dans la mesure où nous sommes plus proches des enjeux réels, la question de l'environnement est à la source de conflits et de dissensions profonds. L'environnement reste un lieu de combat. Mais il nous semble que le lieu du combat se déplace et que ses formes évoluent. Nous espérons en faire la démonstration au chapitre suivant.

Chapitre IV

L'état actuel des lieux

Avant d'être une institution, la démocratie est un état d'esprit, une pratique, une expérience. Le Petit Larousse la définit très formellement: «régime politique dans lequel le peuple exerce sa souveraineté lui-même, sans l'intermédiaire d'un organe représentatif *(démocratie directe)* ou par représentants interposés *(démocratie représentative)*.» On ne peut mieux dire. La souveraineté, elle est dans le peuple. C'est le peuple qui est la source du pouvoir et non le roi ou le président qui représente et symbolise la souveraineté du peuple.

Dans l'Athènes ancienne, les citoyens exerçaient la démocratie directe. C'est bien connu. Mais il faut dire que les citoyens étaient rares: seuls les hommes adultes et libres en étaient. Ni les femmes, ni les enfants, ni les étrangers, ni les esclaves n'étaient citoyens. Les villes américaines de l'ère coloniale ont aussi expérimenté la démocratie directe. On en retrouve l'écho sinon la nostalgie dans les écrits de Bookchin: «le sentiment d'être privé de pouvoir est devenu le malaise populaire de notre époque; voilà qui pourrait aussi devenir la source d'un pouvoir parallèle dans les grands États-nations du monde occidental» (Bookchin 1993: 268). Dans certains cantons suisses, il y a encore une pratique courante de la démocratie directe. Mais, règle générale, nous connaissons plutôt la démocratie de représentation. Nous élisons des dirigeants qui ensuite assument la direction de la société. C'est déjà beaucoup que de pouvoir élire ses gouvernants. À preuve la tendance que nous avons à congédier nos représentants après quatre ou huit ans de «loyaux» services. Ceux qui n'ont pas le droit d'élire leurs représentants en viennent à douter de la souveraineté du peuple. À la longue, même ceux qui élisent leurs représentants ont tendance à oublier leur souveraineté primordiale en tant que peuple et tendent à réduire cette dernière à une concession accordée à tous les quatre ans. Pour demeurer saine la démocratie exige la vigilance. Nos regards sur la démocratie sont souvent désabusés: «Plus ça change, plus c'est pareil.»

Utile et fonctionnelle, la démocratie de représentation a des limites puisqu'à l'usage le dirigeant se perçoit de plus en plus comme la source du pouvoir. Malaise qui s'accentue avec le désintéressement des citoyens et citoyennes à l'égard de la chose publique. Moins il y a de participation et d'intérêt actif, plus l'élection risque de se jouer sur la popularité ou le charme des candidats et candidates plutôt que sur l'enjeu politique, sur les choix et les orientations. La démagogie est une menace constante à la démocratie. Déjà Aristote le déplorait vivement et voyait dans la démagogie la perversion de la république.

On admet volontiers qu'un vote tous les quatre ans traduit incorrectement l'idée de la démocratie. Il y a, bien sûr, beaucoup de gens qui s'en contentent et d'autres qui claironnent haut et clair que la participation est une chimère et qu'il faut laisser les élus décider. «Si leurs décisions ne nous plaisent pas, on les battra à la prochaine élection.» Peut-être sera-t-il alors trop tard et le mal sera-t-il fait? À l'analyse, on constate que les chantres de la démocratie représentative ont souvent aisément accès au pouvoir. Ils pratiquent avantageusement le lobby.

C'est ainsi qu'entre la démocratie directe difficile à réaliser dans les grandes sociétés et la démocratie de seule représentation émerge l'idée d'une démocratie de participation qui assurerait une certaine mise en œuvre de la souveraineté du peuple. Nous avons vu que, dans les déclarations internationales sur l'environnement, cette idée est mise de l'avant. Que l'on parle des ONG, des collectivités locales ou des populations autochtones, les motifs avancés de la participation sont l'expérience et la compétence. Les décideurs ne savent pas tout. Ils n'ont pas toute la sagesse. L'avis de tous peut contribuer à la valeur de la décision prise. Nous retrouvons ici une idée qui nous vient d'Aristote. C'est parce qu'il parle que l'être humain est un animal politique. Sans la parole, la force suffirait. La biologie en donne mille exemples. Avec la parole, il faut une articulation du discours qui permet ensuite l'émergence d'une décision rationnelle, sinon raisonnable.

Derrière l'idée de démocratie de participation, il y a l'intuition que, seuls, les élus ne parviendront pas à prendre des décisions justes, suffisamment éclairées. Les questions, surtout maintenant, sont trop complexes et les savoirs mis en œuvre sont eux-mêmes trop spécialisés. Bien sûr, les élus ont à leur service des experts, plutôt plus que moins, ainsi qu'une fonction publique moderne et éclairée. Mais même cela ne suffit pas, puisque comme on le sait, chaque groupe social a ses intérêts, sa vision des choses. L'expert en vient à définir les problèmes à sa manière et à imposer son approche. Formulant le problème dans ses termes à lui, il conquiert sa légitimité et transforme cette dernière en pouvoir. Si cette hypothèse est juste, cela voudrait dire que la participation politique tempérerait le pouvoir de l'élu et de l'expert et permettrait de mieux atteindre la justice. Mais cela n'est pas évident et Alexis de Tocqueville avertissait ses lecteurs des risques inhérents à la démocratie. «Le despotisme me paraît donc particulièrement à redouter pour les âges démocratiques» (de Tocqueville 1848: IV, 321). Il y a pour Tocqueville un antagonisme entre la liberté individuelle davantage favorisée dans la société aristocratique et l'égalité davantage favorisée dans la société démocratique. «Il en résulte de la constitution même des nations démocratiques et de leurs besoins que chez elles le pouvoir du souverain doit être plus conforme, plus centralisé, plus étendu, plus pénétrant, plus puissant qu'ailleurs. La société y est naturellement plus agissante et plus forte, l'individu plus subordonné et plus faible; l'une fait plus, l'autre moins; cela est forcé» (de Tocqueville 1848: IV, 323). Pensée étonnante qui rappelle que la démocratie penche vers une plus grande liberté collective et une moins grande liberté individuelle.

C'est pourquoi nous avons affirmé en ouvrant le présent chapitre que la démocratie est un état d'esprit, une pratique, une expérience. Certaines sociétés trop longtemps soumises à la tyrannie ne savent pas faire le passage à la démocratie. On y passe du tyran au mafieux. La démocratie suppose une conscience de la souveraineté du peuple, et donc une pratique en ce sens, pratique mise en œuvre dans la famille, à l'école, au syndicat, dans toutes sortes d'organisations qui favorisent la liberté de parole, l'expression d'idées divergentes et l'acceptation de la décision majoritaire intégrant toutefois la prise en compte des opinions minoritaires. Bien difficile apprentissage. Il est assez surprenant que, en découvrant la crise écologique, la communauté internationale découvre aussi les vertus de la participation de tous à la société. C'est que la crise écologique fait émerger des préoccupations relatives à l'égalité et à la protection d'un patrimoine commun. Intuition profonde mais fragile, si dans les vingt-cinq prochaines années les expériences de participation ne sont pas à la hauteur des attentes. Une dérive démagogique favoriserait le retour à l'autoritarisme, à une certaine aristocratie où la prospérité du plus grand nombre est sacrifiée «à la grandeur de quelques-uns» (*ibid.*, p. 323).

En 1972, manifestement en réaction contre une rhétorique à saveur marxiste, Léon Dion affirmait: «Pendant longtemps une manie apparemment réservée à des politiciens férus de démagogie ou aux spécialistes de l'éducation des adultes, l'intérêt pour la participation des individus aux activités qui les concernent ou qui engagent l'avenir de la collectivité est devenu en un tour de main une préoccupation majeure de tous: ouvriers, étudiants, professionnels et dirigeants dans toutes les sphères d'activité. Ces préoccupations, nobles, en elles-mêmes, ne sont pas toujours bien inspirées» (Dion 1972, II: 267). Dion procède à une longue analyse de la participation politique et de la mesure de son influence (*ibid.* 267 — 457). Sa conclusion se rapprocherait du discours que l'on tient à propos des ONG:

«Les groupes qui remplissent les tâches intégratives les plus signifiantes dans les sociétés libérales contemporaines sont moins ceux qui sont liés à des structures sociales fermes, comme la famille, que des groupes secondaires, d'origine souvent récente, telles les associations volontaires (...). Ce sont, en effet, les associations volontaires de toutes sortes qui sont le principe des mécanismes d'interactions systémiques (groupes d'intérêt, partis, media de communication et conseils consultatifs), ces grands agents de l'intégration politique, du moins aux plans global et régional des sociétés.» *(Ibid.*, p. 456.*)*

L'histoire récente de la participation démocratique

Les écrits américains (par exemple Bookchin 1993 ou Mathews 1994) évoquent avec émotion l'époque coloniale. Loin de la métropole, les citoyens des villes ont pratiqué la participation directe: les citoyens se réunissaient sur la place publique pour décider des choses qui concernaient la cité. Il y a certains avantages à être loin de la métropole: loin de Londres, les citoyens des colonies ont appris à se gérer. Dans la colonie française du Canada, cette distance du roi ou du gouverneur a également favorisé l'indépendance de nos ancêtres et certaines formes de prises en charge. Rappelons simplement l'occupation du territoire par la mise en place des rangs qui favorisaient les solidarités de base. Peut-être n'est-ce pas un hasard si le mouvement coopératif a eu tant de succès au Québec et si, dans la crise actuelle, le réflexe du premier ministre, Lucien Bouchard, a été de convoquer un sommet de tous les partenaires. Il n'existe pas d'équivalent anglais rigoureux pour le mot concertation.

On pourrait faire commencer la participation démocratique au Québec avec le début du mouvement coopératif, vers 1900. On encore avec l'implantation des mouvements d'action catholique, en milieu ouvrier comme en milieu étudiant, avec sa pédagogie du voir, juger, agir et son souci de l'enquête terrain, avec son idéologie de la promotion des ouvriers par les ouvriers. Fondée par J. Cardijn (1882-1967), l'Action catholique a formé ici une génération de penseurs et de gens d'action préoccupés de démocratie et d'universalisme, depuis Guy Rocher, Jeanne Sauvé, Alex et Gérard Pelletier, Madeleine et Claude Ryan, Michel Chartrand et Simonne Monet, etc. Mais, révolution tranquille oblige, c'est surtout avec les années soixante que les chercheurs font débuter les efforts de participation politique.

C'est autour du concept d'animation sociale que l'idée de participation démocratique s'est développée à la confluence de l'éducation des adultes et de courants participationnistes. Avec la révolution tranquille, un certain nombre de jeunes intellectuels venus des sciences sociales, pour une part formés auprès du mouvement Économie et Humanisme qui développe l'idéologie du développement intégral (Pelletier 1996, Godbout 1991: 34), cherchent à transformer le pouvoir en le donnant à ceux qui n'en ont pas.

Deux expériences fondatrices sont constamment citées: la mise en place du Bureau d'aménagement de l'Est du Québec (BAEQ) et l'animation sociale à Saint-Henri, quartier ouvrier de Montréal. De 1963 à 1966, le gouvernement du Québec entend élaborer avec la population de la Gaspésie et du Bas Saint-Laurent un plan de développement régional. L'expérience se déroule dans un contexte de recherche et d'expérimentation fébrile. À l'été 1965, «le BAEQ emploie au-delà de 65 chercheurs et une vingtaine d'animateurs; l'âge moyen est de 28 ans» (Godbout 1983: 50). L'opinion de l'auteur qui analyse l'expérience est dure: «au fur et à mesure que le rôle de la population se précise, il se restreint et en vient à se limiter, à la fin de l'expérience, à donner un avis (non contraignant) sur des alternatives proposées par le BAEQ. On passe donc d'un projet de participation totale, un peu mystique, communautaire, non défini concrètement, incluant toute la population, à une consultation restreinte de l'élite régionale» (Godbout 1983: 50-51).

L'autre expérience qui émerge est celle du comité de citoyens de Saint-Henri. Elle a valeur de symbole pour tout l'effort d'animation des quartiers urbains défavorisés. L'inspiration vient à la fois de courants français (Économie et Humanisme ainsi que les chiffonniers d'Emmaüs de l'abbé Pierre) et de courants américains qui s'intéressent alors à la pauvreté des quartiers urbains de la ville centrale: «Community Development» (Godbout 1983: 63-95; Andrée Fortin dans Godbout 1991: 219-250; G. Fortin dans Godbout 1991: 34-40). La dynamique semble avoir été la suivante. À l'origine, les services sociaux (aide sociale, dépannage, éducation populaire, loisirs, etc.) sont dispensés à partir d'institutions surtout paroissiales avec une forte présence religieuse. L'arrivée de professionnels laïques change la dynamique en faveur d'approches plus ouvertes à la population. Les idées nouvelles s'implantent.

Il y a d'abord la montée de l'animateur social. Très vite se pose la question du pouvoir et donc du contrôle des citoyens sur les décisions. Des organisations prennent le pouvoir et cherchent à contrebalancer le pouvoir des professionnels. Autour de 1970, un nouveau groupe émerge, celui des militants venus de la lutte ouvrière, souvent d'allégeance marxiste, qui cherchent à élargir la lutte sociale et à lui conférer une dimension idéologique. La lutte idéologique amène l'abandon du souci des services concrets, ce qui entraîne la mort de nombre d'organismes populaires (maisons de quartier, comptoirs alimentaires, etc.). Peu à peu les services renaissent dans le cadre de structures établies par l'État, par exemple lors de l'implantation des centres locaux de services communautaires (CLSC). Selon certains observateurs, les professionnels ont repris subtilement le pouvoir et transformé un pouvoir local naissant en un service bureaucratique.

Ainsi le mouvement de la participation politique n'a pas conduit à la révolution attendue par certains. Mais il a redistribué autrement le pouvoir. Le premier jugement porté, en 1978, par Jacques Godbout est assez sombre: «Au sein d'un système de démocratie représentative, et pour en rester au secteur public, la bureaucratie naît, se développe, se nourrit de la distance entre les gouvernements et les gouvernés, entre l'État et les citoyens» (Godbout 1983: 153). Ainsi, si la représentation se rattache à la structure opérationnelle d'une organisation, la participation tendrait à confirmer le pouvoir technocratique «en lui fournissant une légitimité pour définir les objectifs mêmes de l'organisation et les besoins de la clientèle» (p. 160). Si, au contraire, elle se rattache à la structure décisionnelle d'une organisation, elle tendrait à donner du pouvoir aux citoyens. Gérald Fortin suggère la même idée en opposant la rationalité des moyens et la rationalité des fins (Godbout 1991: 33-40). La rationalité des seuls moyens soumet le citoyen ou l'usager au technocrate. La rationalité des fins modifie le pouvoir. Dans ses études ultérieures, Godbout essaiera de dépasser ce paradoxe de la participation qui peut se retourner contre la démocratie quand la technocratie la manipule en proposant un renversement de perspective: mettre l'accent sur l'usager, prendre conscience des limites du système marchand en valorisant le système du don (Godbout 1987; Godbout 1992). Au fond, la qualité de la démocratie est en relation directe avec la forme de la société et les rapports instaurés par le système économique.

La participation démocratique en environnement

Nous avons évoqué précédemment comment, dans le milieu écologique, la participation du public fait partie des évidences de base. La crise écologique fait naître deux protestations, l'une contre la science et la technologie dures, l'autre contre le productivisme (capitaliste ou étatique) qui ne tient pas compte de la dégradation du milieu écologique, qui n'intègre pas, comme on dit, les *externalités* environnementales.

Les deux critiques pointent en faveur de débats plus larges, faisant appel à d'autres perspectives et à une meilleure intégration de l'ensemble des forces sociales symbolisées par les

ONG d'une part, et par les milieux populaires d'autre part. L'être humain faisant partie lui-même de l'environnement, il ne peut y avoir de prise en compte de l'environnement sans implication des communautés humaines concernées.

C'est sur cette conviction plus ou moins bien élucidée que s'est élaborée la pratique de la consultation publique au Québec en environnement. La première loi sur la qualité de l'environnement (LQE) date de 1972. Elle instituait déjà un droit à l'information et un Conseil consultatif de l'environnement (devenu plus tard Conseil de la conservation) qui avait pour mandat de conseiller le ministre sur des orientations à prendre. Une modification de la LQE en 1978 ajoute la reconnaissance du droit à la qualité de l'environnement (Yergeau 1988: 7). La même année est créé le Bureau d'audiences publiques sur l'environnement (BAPE) dont la fonction est principalement liée au règlement sur l'évaluation et l'examen des impacts. Avec la création du ministère de l'Environnement (MENVIQ) en 1979, devenu plus tard ministère de l'Environnement et de la Faune (MEF), a été amorcée la création de Conseils régionaux de l'environnement (CRE).

En dehors des efforts propres du ministère pour informer la population et la sensibiliser, efforts qui furent très variables depuis 1980, selon les contextes, les budgets et les régimes politiques, le ministère de l'Environnement a donc disposé de trois organes axées sur la participation publique: le Conseil consultatif, le BAPE et les conseils régionaux.

... le Conseil consultatif

Le Conseil consultatif a quatre caractéristiques. Il est formé de gens, nommés par le Gouvernement, qui représentent symboliquement la population (critères de compétence, d'expérience, de représentativité régionale, d'âge, de sexe, etc.). Il est conçu pour conseiller le ministre sur les politiques et les orientations.

Il exécute deux types de mandats: ceux que lui confie le ministre, auquel cas le rapport appartient au ministre qui le rend public au moment qui lui convient; ceux qu'il initie de lui-même à la demande de la population ou de ses membres: il a donc un pouvoir d'initiative. En tel cas, le rapport devient public soixante jours après son dépôt au ministre. Dès son origine, le Conseil consultatif a surtout axé son action sur la recherche et l'expertise. Le conseil a toute liberté de consulter le public et il l'a fait abondamment. Devenu Conseil de la conservation et de l'environnement en 1987, le Conseil a périclité, a été inopérant à partir de 1993 et aboli en 1996. On peut penser pourtant que la disparition du Conseil est une lourde perte pour la cause environnementale, car le Conseil était le seul à avoir pour tâche de réfléchir sur les politiques et à se situer dans la prospective, disposant en plus d'un pouvoir d'initiative.

... les Conseils régionaux

Les Conseils régionaux de l'environnement ont eu, pour leur part, une existence cahotique. Ils ont un mandat de concertation régionale sur les questions d'environnement. À l'origine fortement subventionnés par le ministère de l'Environnement, ils ont eu tendance à se percevoir comme un contre-ministère en région. On peut penser, par exemple, à l'action assez vive du Conseil régional de l'Est du Québec, à Rimouski, sur les questions de santé, au début des années quatre-vingt. Diverses raisons financières, politiques et institutionnelles peuvent expliquer le fait qu'à l'origine seulement deux conseils régionaux aient vu le jour en 1981 alors qu'on en prévoyait un dans chaque région. Il a fallu attendre une bonne dizaine d'années pour que le système soit complété. Au mois de mars 1996, on dénombrait 13 conseils régionaux et un autre en formation à Laval. Il n'y a pas de conseil pour les régions de Montréal et du Nord québécois. Les conseils régionaux de l'environnement sont des organismes privés sans but lucratif, dont la base est ouverte à l'ensemble des citoyens ou à des intervenants ou délégués d'autres organismes et dont les structures internes garantissent le contrôle démocratique de l'institution par ses membres. Les conseils ont pour fonctions de regrouper et de représenter des organismes intéressés à l'environnement dans une région, de favoriser la concertation entre les acteurs, de participer au développement durable (avec une insistance sur l'éducation), d'agir à titre d'organisme ressource. C'est donc un pôle d'articulation de la réflexion et de l'action sur l'environnement sur une base régionale, plus proche du tamisage et de la concertation que de la contestation. Subventionnés à la fois d'une manière statutaire et en proportion d'autres contributions reçues, ils constituent un de ces organismes intermédiaires importants dans la planification et la mise en place des plans d'action.

Il est difficile de porter un jugement sur les conseils régionaux de l'environnement, car l'entreprise est en plein renouveau. On peut penser qu'ils exerceront une fonction d'intégration assez importante dans les années à venir à moins que différentes contraintes ne les en empêchent. Leur participation active dans l'Éco-Sommet laisse entrevoir un travail de base autour de la mise en œuvre du développement durable et de la poursuite d'Action 21 dans le prolongement de Rio. Les CRE pourraient devenir de véritables laboratoires pour explorer de nouvelles pistes dans les champs de la résolution de conflits et de l'intégration des différentes rationalités. Pour eux, l'avenir s'annonce meilleur que le passé.

... le Bureau d'audiences publiques sur l'environnement

Pièces maîtresses de la réforme de 1978, la mise en place de la procédure d'évaluation et d'examen des impacts et la création du Bureau d'audiences publiques sur l'environnement (BAPE) constituent certainement un point essentiel d'une politique de l'environnement. C'est en tamisant ses propres projets (privés ou étatiques) qu'une société peut contrer la crise écologique qui se profile. Il ne suffit pas de faire confiance, de laisser faire, de prendre une chance. Il faut considérer toute intervention future sous l'angle de l'environnement, en étudier les composantes, en prédire les impacts et, dans la pondération des bénéfices et des dommages entrevus, décider de l'opportunité ou de l'inopportunité de la réalisation des projets à venir. Il s'agit là d'une énorme révolution mentale pour la société de l'âge industriel qui a considéré, depuis deux siècles, que toute intervention technique était légitime et que le milieu écologique s'adapterait vaille que vaille. À une stratégie de correction après coup, la procédure d'évaluation et d'examen des impacts impose une évaluation avant projet et évoque donc l'hypothèse d'un refus de réaliser les projets, si ces derniers apparaissent trop lourds ou trop incertains pour la capacité du milieu écologique et du milieu social. L'avènement de la procédure amène ainsi deux modifications majeures à l'état de fait antérieur. Il fait éclater le domaine de la science en y intégrant les questions écologiques et en perçant une ouverture vers le champ des valeurs. Il élargit le nombre des acteurs en faisant du public un partenaire obligé de la prise de décision.

Il était donc inévitable que le BAPE, institution-clé de l'examen des impacts et de la discussion publique sur les savoirs scientifiques et les valeurs sous-jacentes aux questions environnementales, se taille la part du lion dans l'image publique. Nous analyserons plus loin la procédure québécoise dans le détail. Il convient simplement de noter, pour l'instant, que la place stratégique et symbolique du BAPE favorise son succès auprès du public.

L'équilibre des trois institutions

Dans leur conception d'origine, le Conseil consultatif, le BAPE et les CRE sont trois types d'organismes différents et complémentaires. Le Conseil consultatif est axé sur les politiques et les orientations. Il est stable et permanent et dispose d'un pouvoir d'initiative. Sa crédibilité repose sur trois facteurs: la qualité et la représentativité de ses membres, l'ampleur de sa recherche scientifique, son habileté à consulter la population et à animer des débats de fond. Le Bureau d'audiences publiques pour sa part est conçu comme un instrument d'enquête à caractère quasi judiciaire, conçu pour analyser des projets et favoriser un arbitrage. Les conseils régionaux permettent l'intégration de l'environnement et l'harmonisation des politiques sur une base régionale. Les trois organismes ont chacun leur niveau et leur originalité. Ils sont complémentaires. Dans la pratique, toutefois, ces organismes ont été partiellement en compétition entre eux ou avec le ministère.

Dans les années soixante-dix, seul en poste, le Conseil consultatif a occupé tout le champ de la consultation publique. D'où une crédibilité très forte dès le départ, avec une petite tendance à déborder les seules politiques pour étudier aussi des dossiers concrets comme les battures de Kamouraska ou l'usine d'épuration des eaux de la CUM. L'arrivée du BAPE a bouleversé l'équilibre, car la procédure du BAPE était dotée d'instruments beaucoup plus précis: un caractère quasi judiciaire, le pouvoir d'enquête, une procédure définie par règlement, des commissaires indépendants, etc. Plus spectaculaire, favorisant la controverse, la manière de faire du BAPE soulevait davantage de débats publics. Son mode de fonctionnement facilement binaire à cause de son caractère très formel créait aisément deux camps, les bons et les méchants: les méchants étaient le promoteur, le ministère, les développeurs; les bons, les opposants et les groupes écologistes. D'une certaine façon, le BAPE cherchait à se démarquer du ministère (d'où, à l'origine, dans ses premiers rapports publics, de nombreuses critiques sur la façon d'agir du ministère dans la procédure) et du Conseil en se présentant comme le vrai chien de garde de l'intérêt public. Dès 1982-1983, le BAPE avait distancé ses rivaux.

Dans l'opinion publique, la manière de faire du BAPE est devenue comme la référence obligée, la seule bonne manière de réaliser la participation publique en environnement. Cette fixation semble maintenant abusive, voire dommageable à moyen terme. Avant d'en expliquer les raisons, il vaut la peine de rappeler rapidement les principales caractéristiques de l'action du BAPE au sein de la procédure d'évaluation et d'examen des impacts.

La procédure québécoise d'évaluation et d'examen des impacts

Comme toutes les autres du même type, la procédure québécoise d'évaluation et d'examen des impacts a pour fonction d'assurer la protection et la sauvegarde de l'environnement dans la réalisation de projets importants. C'est un instrument de prévention a priori, qu'on rattache aujourd'hui au principe de précaution. Ainsi, par règlement, les projets susceptibles de porter atteinte à l'environnement sont identifiés. Un promoteur intéressé à réaliser un projet désigné dans le règlement doit donc aviser le ministre de son intention. Le ministre fait alors parvenir une directive d'étude d'impact en général fort complexe, couvrant à la fois la justification et les aspects biophysiques et sociaux du projet. Le promoteur réalise son étude d'impact sous la gouverne du ministère. Quand l'étude d'impact est complétée (ce qui peut prendre deux ans), commence la phase publique de l'examen. Le ministre mandate alors le BAPE de rendre l'étude d'impact publique pour une période d'information de 45 jours au cours de laquelle toute personne ou groupe peut demander au ministre la tenue d'une audience publique en expliquant ses motifs. À moins que la demande ne soit frivole, le ministre doit accorder l'audience.

Le mandat d'audience dure au maximum quatre mois. Il se déroule en deux phases. La première phase est consacrée à l'information: les participants à l'audience peuvent interroger le promoteur sur tous les aspects de son projet, sous la direction de la Commission du BAPE. Dans la deuxième phase, la Commission entend les opinions des intervenants, en général sous la forme de mémoires. Au terme de son travail, la Commission produit un rapport dans lequel elle reflète la dynamique de l'audience et procède à sa propre analyse du dossier. Sans posséder à proprement parler le droit de faire des recommandations, les commissions du BAPE en ont l'équivalent et émettent volontiers des opinions très fermes autour de trois axes possibles: refuser le projet, l'accepter tel quel, l'accepter avec modifications. Les rapports du BAPE sont rendus publics au plus tard 45 jours après leur dépôt auprès du ministre. La décision sur le dossier est prise par le Conseil des ministres.

Ainsi la procédure québécoise d'évaluation et d'examen des impacts situe la participation publique au niveau de la consultation. Le BAPE ne décide pas. La consultation est faite par un tiers, dans une procédure rigoureuse et transparente, encadrée dans un règlement et gérée par une institution publique possédant des pouvoirs d'enquête. La Commission qui entend les intervenants ne prend pas la décision sur le projet évalué, mais elle émet une opinion reposant sur l'audition des intervenants et sur sa propre analyse. L'opinion de la Commission s'apparente donc à un arbitrage, puisqu'après avoir entendu les parties dans le respect des règles du droit selon une procédure quasi judiciaire, la Commission émet son propre avis, ce qui suppose une forme de jugement.

Forces et faiblesses de la procédure québécoise

À cause de sa rigueur, de sa clarté et de sa tradition, la procédure québécoise telle que gérée par le BAPE jouit d'une grande force auprès de la population et des médias, surtout auprès des usagers de la procédure, des groupes écologistes en particulier. La procédure est en effet claire et réglementée. On sait comment et quand cela commence et finit. Le cadre légal est précis. Tout est public. Les commissions jouissant d'un statut quasi judiciaire sont indépendantes du pouvoir et ont, au cours des quinze années d'existence du BAPE, montré plus d'une fois cette indépendance.

La procédure a été étudiée à deux occasions. En 1988, un comité de révision de la procédure mandaté par le ministre et dirigé par Paul Lacoste a déposé un rapport volumineux et suggéré de nombreuses modifications et améliorations à la procédure (Gouvernement du Québec 1988). J'ai fait partie de ce comité. En 1992, la Commission de l'aménagement et des équipements de l'Assemblée nationale procédait à un nouvel examen de la question et suggérait des modifications à la procédure (Commission de l'aménagement et des équipements 1992).

Les deux documents fort différents l'un de l'autre sont favorables au maintien de la procédure actuelle. Ils suggèrent son application à davantage de projets (surtout aux projets industriels, ce qui est chose faite maintenant), une information et une implication plus hâtives du public, une clarification des règles du jeu, plus de souplesse, une meilleure continuité entre les commissions, des possibilités de médiation, un encadrement plus précis des étapes de la procédure, une clarification du jeu des acteurs, etc. Après une réforme menée en 1993-1994 qui a donné lieu à une loi adoptée mais non promulguée, le gouvernement entend réviser à nouveau la procédure et il a complété une proposition à cette fin (MEF 1995; MEF 1996). La réforme est attendue pour 1997.

Si on la considère du seul point de vue de la participation publique, la procédure a en effet ses limites. Elle est dure pour les acteurs car elle accentue les oppositions et les antagonismes entre eux. Elle est répétitive lorsque des projets de même type sont analysés l'un à la suite de l'autre, comme pour la gestion des déchets ou les lignes de transport d'énergie électrique. Elle est peu souple et ne favorise ni la créativité ni le rapprochement des acteurs. À la longue, elle peut devenir formaliste et être accaparée par des habitués qui en contrôlent le fonctionnement. Cela semble évident dans le cas de projets qui laissent indifférente la population affectée alors que des militants exigent l'audience pour le principe ou pour reprendre à nouveau des débats souvent rabâchés. L'audience sur le projet de la CUM d'aménager une section de la carrière Demix est un bon cas type d'audience à peu près inutile: quatre personnes posant des questions, trois mémoires répétant des propos déjà connus sur un dossier où la marge de manœuvre était à peu près nulle (BAPE no. 95). En tel cas, il n'y a plus d'enjeu public mais une tribune pour quelques-uns.

Il serait un peu simpliste de réduire la participation publique en environnement à la seule procédure du BAPE, ou de conclure que cette procédure est idéale et donc inchangeable. En 1984, deux commissaires du BAPE, Michel Yergeau, au terme de son mandat à la vice-présidence de l'organisme, et Luc Ouimet, commissaire, faisaient paraître un article important (Ouimet et Yergeau 1984) dans lequel ils formulaient en termes de principes et d'exigences les principaux moments de la procédure du BADE: clarté, crédibilité, transparence, indépendance, information complète, caractère public des délibérations et du rapport, ampleur de l'analyse, justice pour les participants, devoirs du décideur, information et opinion, etc. Le texte visait à la fois à affirmer la tradition du BAPE par rapport à d'autres institutions et à confirmer la tradition interne au moment du départ de la première génération de commissaires. Il a eu l'inconvénient de figer la réflexion comme si d'autres formules n'étaient pas possibles, comme si la requête démocratique sous cette forme précise y acquérait un cachet de sacralité (Beauchamp 1997).

Nous avons évoqué, au chapitre précédent, le débat sur le débat de l'énergie, un débat sur le processus à suivre. Comme nous l'avons esquissé dans ce chapitre, la participation publique en environnement au Québec, diversifiée à l'origine, a eu tendance à se rétrécir et à se figer sur une seule formule, celle du BAPE, laquelle ne peut avoir toutes les qualités ni répondre à toutes les attentes.

Plutôt que de durcir les formules et d'essayer d'appliquer la formule du BAPE à toutes les sauces, il faut, à notre avis, élargir et diversifier, élargir la participation démocratique d'une part, diversifier les voies de résolution de conflits d'autre part, réconcilier, si c'est possible, le communautaire et le populaire (Andrée Fortin in Godbout 1991: 218-250), et mettre en œuvre la collaboration. C'est en ce sens que s'oriente la pratique en environnement, tout en sachant qu'aucune formule ne vaut pour toutes les situations et que les débats idéologiques ne sont, dans une société, jamais résolus.

Une chose est surprenante dans les débats sur la participation publique en environnement au Québec. On n'y parle presque exclusivement que des structures de participation gouvernementales, voire même que de celles mises en place par l'État québécois, assez peu des expériences au niveau municipal et pratiquement jamais du reste dans l'entreprise et les organisations, comme si les structures étatiques occupaient tout le champ de l'environnement. Singulière fixation.

C'est pourquoi nous pensons qu'il faut un double élargissement. D'une part, il convient de diversifier le coffre à outils pour mettre en œuvre une pluralité de processus, de moyens, d'expériences, afin de dépasser les seules perspectives de conflit, un conflit ritualisé dans l'arène bapienne et tendant à se dissoudre en une routine. D'autre part, il faut diversifier les lieux et les agents et porter plus d'attention à tout le reste de la société, particulièrement au champ municipal et au champ de l'entreprise. À tout prendre, la participation n'en est encore qu'à ses débuts.

Chapitre V

Participation: communication et consultation

«Le développement de la participation est à la fois une fin et un moyen.»
Sven Sandstrom, Banque mondiale.

L'histoire de la participation au Québec tend à confirmer l'idée que la démocratie de participation en tant que complément à la démocratie de représentation désigne principalement la consultation. Il faut interpréter cette affirmation d'une manière très globale. La consultation n'a de sens et de portée que si elle est authentique et efficace. D'où une tension jamais résolue pour les participants entre le désir de participer à la décision et donc d'acquérir du pouvoir, et la peur de voir l'essentiel ou des éléments importants de la décision leur échapper et donc de perdre du pouvoir. Derrière la participation, quelle qu'en soit la forme, il y a toujours symboliquement une négociation. C'est pourquoi l'anarchiste et le révolutionnariste refusent de participer. Ils cherchent à dénoncer à l'extérieur, car parler à son adversaire c'est déjà cesser la guerre.

Parmi la quantité de définitions possibles de la participation, en voici une surprenante: «la participation populaire est un processus grâce auquel les gens, surtout les gens désavantagés, influencent les décisions qui les affectent.» Elle est surprenante car elle nous vient de la Banque mondiale (Bhatnagar et Williams 1992: 177), organisme a priori peu enclin à la démocratie et au souci des plus pauvres.

Dans le soutien que la Banque mondiale consent à divers pays en voie de développement, l'expérience tend à montrer que le succès et la survie des projets subventionnés sont meilleurs lorsqu'il y a eu un effort pour assurer la participation populaire. La Banque cite expressément des publics cibles: les jeunes, les gens défavorisés, les femmes, les autochtones, les populations locales. On devine la résistance que la Banque rencontre quand elle négocie des prêts avec des États autoritaires, peu enclins à la démocratie et à la participation populaire. La participation suppose toujours un partage du pouvoir. Parmi les effets entrevus de la participation, la Banque parle de *empowerment, beneficiary capacity, effectiveness, cost sharing, efficiency,* termes qui ont peu d'équivalents français directs mais qu'on peut rendre par: dynamisation des gens sans pouvoir, capacité accrue des bénéficiaires, efficacité, partage des coûts, efficience.

On comprend que, dans ce contexte, la participation ne concerne pas seulement la prise formelle de décision. Elle commence bien avant, (entre autres, par l'information) et se continue bien après dans la gestion courante. Les gens qui participent deviennent des partenaires de l'ensemble du projet. Ils ne sont plus simplement des clients auxquels on a donné un service, mais déjà des acteurs. Autrement, il n'est pas rare que les projets échouent, même les mieux intentionnées. Une responsable locale m'a raconté l'histoire d'une usine d'épuration des eaux dans une localité du Maroc qui n'a jamais pu fonctionner faute d'eau à épurer... Les eaux de la ville étaient interceptées et acheminées vers une usine en retrait. Les cultivateurs voisins de l'intercepteur cassaient la canalisation et utilisaient cette eau avant son arrivée à l'usine, avec les dangers que l'on soupçonne pour la santé. Les gens du milieu percevaient l'usine plus comme une menace à la satisfaction de leurs besoins en eau que comme une aide. Les maldonnes de ce genre sont légion. Combien de projets coûteux mis en place ne fonctionnent ensuite jamais, pour des raisons techniques, psychologiques, culturelles, religieuses?

On a écrit et dit sur la participation un nombre considérable de clichés. Pourtant, maintenant la participation est perçue comme une valeur et semble aller de soi. Elle n'est pas une panacée universelle. Elle n'est pas magique. Elle peut occasionner des pertes de temps et d'argent. Des gens peu représentatifs peuvent accaparer les structures mises à leur disposition pour d'interminables digressions. Il y a des histoires amusantes à ce sujet, comme celle d'un intervenant qui voulait convaincre une commission que, pour combattre une infestation, il fallait exposer des statues de la Vierge, statues que lui-même fabriquerait et vendrait évidemment. Il y a aussi des histoires d'horreur comme celle du journaliste qui, s'appuyant sur la loi d'accès à l'information, demanda photocopie de tous les comptes de dépenses des membres d'une communauté urbaine. La demande a coûté plus de vingt mille dollars en frais divers. Tout cela pour un article sans intérêt qui ne faisait pas 50 lignes. Dans ce cas, quelqu'un avait abusé d'un droit. Il y a également des consultations ouvertes accaparées par des concurrents du promoteur ou téléguidées par des firmes de consultation.

La participation est une arme à deux tranchants. Quand elle réussit, elle bonifie les projets, mobilise les populations, donne du pouvoir aux plus faibles, contribue au succès des solutions mises en œuvre. Quand elle échoue, elle laisse aussi des séquelles: blessures, divisions, coûts, délais, manipulation ou démagogie (Bhatnagar et Williams 1992: 89).

Une étude de la Banque mondiale sur 21 projets au niveau international évalue à 15% la majoration des coûts des projets attribuable à la participation. La participation allonge en général les délais, surtout dans la phase initiale, mais parfois les abrège au moment de la réalisation (Hentschel 1994). Mais ces considérations surtout financières doivent être mises en contexte dans une perspective globale: «la participation réduit les difficultés et les délais de réalisation, de sorte que les projets ouverts à la participation devraient être moins coûteux à long terme»

(Bhatnagar et Williams 1992: 19). Pour une banque, n'est-ce pas l'argument suprême?

La conversion de la Banque mondiale à la participation est hautement révélatrice puisqu'il ne s'agit pas d'une démarche idéologique mais d'une approche pragmatique. La Banque estime que les chances de succès sont meilleures quand les projets subventionnés intègrent la participation populaire. On se prend à rêver pour nos propres banques!

Le concept de participation démocratique ou de démocratie de participation en tant que distingué de celui de démocratie de représentation reste un concept fluctuant. Dans notre système, la démocratie repose d'abord sur la capacité d'élire ses dirigeants. Les autres formes de participation qui viennent compléter le processus électoral ne devraient pas entamer la représentativité et la légitimité de la personne élue. On devine pourtant la possibilité d'une crise de légitimité et de représentativité entre l'élu et les autres leaders qui émergent par leur charisme, leur compétence ou leur militantisme. Si les responsables politiques ne peuvent plus décider, ils n'ont plus de raison d'être. Quand on parle de participation populaire, on évoque d'abord et principalement les organismes non gouvernementaux (ONG). Le terme désigne d'abord les organisations locales privées, formées de gens directement affectés par les projets entrevus; puis des organismes intermédiaires de tous genres, souvent spécialisés dans des secteurs pointus et appréciés pour leur compétence; puis enfin des coalitions au niveau national ou international. Dans ce domaine, les institutions religieuses et de bienfaisance ont aussi un rôle important et représentent parfois un véritable contre-pouvoir.

Les ONG constituent une véritable nébuleuse pleine de promesses. On peut donc s'attendre à diverses mesures institutionnelles pour leur permettre à la fois de bien s'identifier et de jouer pleinement leur rôle. Comme nous l'avons signalé au chapitre II, Action 21 leur consacre d'ailleurs un chapitre (no XXVII) bien senti (CNUED 1993) et il n'y a pas de doute que l'ouverture de la Banque mondiale à la participation ne soit aussi le résultat de la pression exercée par le Sommet de Rio. Il vaudrait d'ailleurs la peine d'étudier le poids des ONG sur la préparation et la tenue du Sommet de la Terre et d'analyser comment le pouvoir étatique a dû composer avec ce pouvoir parallèle. Il y a probablement derrière Rio et derrière le mouvement écologiste une idéologie du pouvoir de la base encore mal élucidée — et de sa légitimité — et qui pourrait être une idéologie du savoir et des experts. Il est d'ailleurs intéressant d'analyser la convention sur la biodiversité sous cet angle. Mais cela nous éloignerait trop de notre propos. Sur la question du pouvoir, on tire toujours profit à se référer au classique de Jouvenel (1972), peu sympathique à la démocratie, mais très lucide à l'égard du pouvoir.

Pourtant, malgré leur représentativité et leur fonction stratégique, les ONG n'épuisent pas toute la dymanique populaire. Il faut évoquer les gouvernements locaux, avec l'infinie variété des solutions nées de l'histoire des collectivités locales. Dans notre tradition québécoise, les villes sont des créations de l'État provincial. Mais la longue tradition communale européenne va en sens contraire: chaque commune a sa tradition et constitue une réalité primordiale où le jeu des pouvoirs et des représentations est extrêmement complexe. Le pouvoir communal précède historiquement le pouvoir de l'État central. Quand on parle de participation populaire, il existe même des cas où il faut aussi se référer à des institutions ou agences gouvernementales qui ont développé une culture de participation et de représentation et qui sont perçues à la longue comme des ressources du milieu. Il ne faut pas enfin oublier le secteur privé, souvent, sinon toujours à but lucratif. Le marché aussi favorise des formes de régulation et d'intégration dont la représentation populaire n'est pas absente et dont l'adhésion à certaines causes est parfois déterminante.

Actuellement, la participation élargit le champ des acteurs, de tous les acteurs, sans pour autant mener à la confusion des rôles. Elle signifie du pouvoir d'abord pour les gens affectés et les sans pouvoir, qui deviennent des interlocuteurs. On dit en anglais «*stakeholder*: ayant part, ayant intérêt», un peu comme on dit les «ayants droit» à propos d'un testament.

Une séquence possible

Les mots appartiennent à tout le monde et chacun peut leur donner le sens qu'il veut jusqu'à un certain point. Si on essaie de schématiser différentes étapes de la participation, on peut établir le continuum suivant*:

- ❒ Les préalables à la participation:
  - — l'information et la sensibilisation.
- ❒ Les démarches formelles de participation:
  - — l'appel d'idées;
  - — la solution de problèmes;
  - — la rétroaction (appelée aussi information *feed-back*);
  - — la consultation publique, surtout la consultation formelle par un tiers;
  - — les processus de collaboration (avec ou sans tiers);
  - — les processus de résolution de conflits (avec ou sans tiers);
  - — la concertation;
  - — la délégation.
- ❒ Les démarches subséquentes à la participation:
  - — l'information sur les résultats;
  - — le suivi d'un projet.

---

* Nous reproduisons en la modifiant la proposition de Beauchamp 1993: 10-15.

Cette catégorisation est principalement descriptive avec les limites inhérentes à semblable énumération. Elle identifie quelques types d'efforts qu'une autorité (politique ou administrative) peut déployer pour associer un public à une décision. Ainsi l'information et la sensibilisation ne sont pas, à notre avis, de la participation, mais un prérequis par ailleurs indispensable. Il y a participation quand un décideur associe un public et se met en situation d'être influencé par lui. Il pourra recevoir des informations, des opinions, des remarques. Il rendra compte de la façon dont il accepte ou refuse les suggestions. La consultation dite formelle suppose une procédure publique claire et définie, elle est ouverte à toutes les personnes intéressées et suppose presque toujours la présence d'un tiers. Elle peut cristalliser les questions et les oppositions. Les processus de collaboration impliquent une volonté d'associer un public d'une manière continue, comme un partenaire, mais le public y intervient en général à travers des délégués, ce qui soulève la question des systèmes de représentation. Les processus de résolution de conflits sont des processus de collaboration mais la dimension conflictuelle y étant plus forte, les façons de procéder y sont formalisées autrement. Il faudra souvent la présence d'un *facilitateur* ou même d'un médiateur, ce qui évoque d'une autre manière la figure du tiers.

Dans les chapitres ultérieurs, nous décrirons plus longuement les processus de collaboration et de résolution de conflits. Il convient de s'attarder maintenant sur l'information et la consultation.

Information, sensibilisation, communication...

Toute forme de participation suppose comme étape préalable la fin du secret. Car il est bien tentant pour les gouvernements et les promoteurs de ne pas divulguer les projets en cours, de prendre les gens par surprise, de les mettre devant des faits accomplis, de retenir les informations sur l'état de l'environnement, sur les risques de pollution ou les dangers potentiels, de ne pas rendre publique dans la gestion courante l'existence d'incidents qui peuvent mener à des accidents. Les premières luttes pour la protection de l'environnement ont donc visé d'abord le droit de savoir, un droit maintenant reconnu qui génère à son tour le devoir d'informer.

Mais il y a une marge entre ne pas cacher des faits, et donc se contenter de répondre aux questions formelles qui nous parviennent, et une politique généreuse d'information qui consiste à faire des efforts pour rendre l'information compréhensible et réellement accessible. Quiconque — entreprise ou gouvernement — veut faire du public un partenaire devrait poursuivre sans relâche une politique d'information et de communication. L'environnement étant une réalité complexe, multifactorielle, qui fait appel à des faits, à des données scientifiques controversées, à des théories et à des valeurs, la communication environnementale s'avère un défi de taille qui suppose, presque toujours, des objectifs, explicites ou implicites, plus larges dans le champ de la sensibilisation ou de l'éducation. Faut-il informer pour sensibiliser le public, ou pour le rassurer? La manière de poser le problème n'est pas neutre. Prenons un exemple: la disposition des déchets nucléaires qu'il faut prévoir pour environ 250 000 ans. À l'échelle humaine c'est un temps très long, ce qui fait de cette décision, selon certains, la plus grave décision de l'histoire de l'humanité. À l'inverse, une entreprise d'énergie atomique décrit cette durée comme géologiquement brève: 250 000 ans pour une durée de 4,5 milliards d'années. Le premier message cherche à inquiéter, le second à rassurer.

Il est bien rare que, dans le domaine de l'environnement, les processus de communication se contentent de simplement informer en permettant au public visé de comprendre, de vérifier les sources et de pouvoir juger par lui-même. La plupart du temps, on communique pour convaincre, persuader, faire adhérer. On cherche à transmettre des informations, mais aussi à modifier des comportements, des attitudes et des valeurs. Des promoteurs veulent éduquer leur public, ce qui horripile leurs adversaires; des gouvernements veulent sensibiliser; des ONG veulent alerter l'opinion ou mobiliser. Il n'est donc pas rare de voir apparaître sous le vocable de communication environnementale des opérations qui dépassent largement des objectifs d'information pour inclure des objectifs d'éducation (savoir, savoir faire, savoir être) et même davantage.

Un élargissement typique de ce genre est offert par un document récent de la Banque mondiale qui définit la communication environnementale comme un processus social tout autant qu'un processus éducationnel: «...la conception délibérée et systématique, le développement, l'évolution et la transmission de messages objectifs, dans un aller-retour entre l'émetteur et le récepteur, basée sur les données scientifiques couramment disponibles et sur les attentes grandissantes du public, conçues pour aider les individus tout autant que les groupes dans leur effort pour résoudre les problèmes environnementaux actuels, prévenir les problèmes à venir et assurer un développement durable» (EMTEN 1994).

Cette définition est étonnante à plus d'un titre puisqu'elle inclut le *feed-back* dans la définition de la communication, qu'elle vise l'implantation du développement durable et la transformation de la situation actuelle. Elle laisse aussi entendre qu'il y a des messages objectifs reposant sur des données scientifiques irréfutables, comme si la science ne construisait pas également les faits qu'elle mesure. Il est évident qu'ici la Banque mondiale ne promeut pas une communication environnementale dégagée: elle promeut une communication pour le développement durable qui cherche explicitement à convaincre et à mobiliser. Elle définit d'ailleurs le public comme des «stakeholders», des «ayants intérêt» et présente la communication comme une forme de résolution de conflits (EMTEN 1994: 24). Les objectifs de communication environnementale de la Banque mondiale dépassent donc largement les objectifs usuels de la communication: «...la communication est l'action de faire participer un individu

— ou un organisme — situé à une époque, ou un point donné R, aux expériences et stimuli de l'environnement d'un autre individu — ou d'un autre système — situé à une autre époque, en un autre lieu E, en utilisant les éléments de connaissance qu'ils ont en commun»(Moles 1973: 120).

Dans la pratique, les actions de communication environnementale, surtout si elles visent à convaincre, sont différemment perçues par les publics visés selon les situations. Par exemple, il n'est pas rare que des communicateurs engagés par des firmes impliquées dans un projet subissent des pressions pour déroger à leur code de pratique (taire certaines informations, ne pas informer tous les publics, isoler les opposants, mobiliser les adhérents, etc.) au mépris d'objectifs d'universalité ou de transparence. Dans une enquête auprès de praticiens, Michaelsen observe: les praticiens ont raconté sans cesse des histoires où des participants se sont vus embarqués dans des processus maquillés du nom de participation publique, qui dans les faits ne correspondaient pas aux idéaux des praticiens (Michaelsen 1996). D'où les discussions constantes sur la communication environnementale: qui la fait? qui la paie? qui la contrôle? En général, les militants écologistes sont réticents à l'égard de compagnies qui cherchent à les éduquer, mais ils aiment les processus qui les amènent eux-mêmes à éduquer la population.

La décision de la Banque mondiale de définir la communication environnementale comme une information *feed-back,* une relation bilatérale, à la manière de la communication sur le risque, paraît donc induire des changements significatifs en la matière. Nous nous en réjouissons car «c'est pour la bonne cause.» Mais ce n'est pas sans ambiguïté. Quand ce ne sera plus pour la bonne cause, dénoncera-t-on cette communication engagée?

La consultation formelle

Normalement, les démarches d'information et de sensibilisation précèdent la consultation mais n'en sont pas. Nous savons que la Banque mondiale utilise le concept de communication (et non d'information) pour inclure des éléments que nous classons, avec d'autres, comme de la consultation. C'est que le concept global de communication allant jusqu'au *feed-back* dépasse celui d'information qui se contente d'une relation à sens unique, de l'émetteur au récepteur. Les frontières entre communication (incluant interaction et *feed-back* du récepteur à l'émetteur) et consultation se compénètrent donc.

Au sens strict, il y a consultation quand un décideur se met en situation d'être influencé. Cela peut se faire de façon informelle, comme nous le faisons de manière courante en famille ou au travail. Devant prendre une décision, un responsable en parle aux intéressés, à tous et chacun, ou bien à quelques-uns réputés plus sages, plus proches ou simplement moins revendicatifs. Il lance une hypothèse, suggère une orientation, cherche à valider une information, demande des suggestions. «Si nous achetions un appareil de télévision, dans quelle pièce faudrait-il le placer?» «Pour les prochaines vacances, où pourrions-nous faire du camping?» C'est un simple appel d'idées. «Nous avons un problème. Depuis quelque temps, la maison me semble en désordre.» «J'ai remarqué que les employés de l'entreprise sont souvent en retard. Que pouvons-nous faire pour changer cela?» La vie est parsemée de ces consultations parfois timides, parfois très ouvertes. Quand le responsable cherche simplement à vendre sa salade, nous répondons: «À quoi ça sert de m'en parler? De toute façon, tu as déjà tout décidé et mon avis ne servira à rien.» Personne n'aime les simulacres. Mais quand la démarche est sincère, les suggestions viennent presque d'elles-mêmes.

La consultation formelle se veut plus encadrée. Une décision doit être prise. Elle ne l'est pas encore et le responsable veut l'opinion des intéressés avant de fixer tous ses choix. Il annonce donc son intention et indique son propre cheminement vers la décision: ce qui est déjà décidé, ce qui ne l'est pas, etc. Il donne l'information. Il écoute l'opinion des intéressés, dans un certain délai et selon certaines formes, cela pouvant aller du commentaire écrit aux comités de travail, aux réunions de groupe, à l'assemblée générale. Il prendra ensuite sa décision, s'obligeant tout au moins moralement à faire part des arguments qu'il a retenus et de ceux qu'il a rejetés. Ce qui fait une consultation formelle, c'est son caractère explicite et encadré. Le parcours est défini à l'avance: quand cela commence, quand cela finit, qu'est-ce qui est en cause? Si la démarche est insincère, en ce sens que le décideur a déjà tout décidé et que la consultation n'est que de la frime (une séance de défoulement disent les gens), l'opération revient contre le décideur, par un effet boomerang. «Tu nous as menti.» Si la démarche est sincère, s'il y a «contrat loyal», l'opération sera plus ou moins facile selon le climat de confiance ou de méfiance existant au préalable, mais elle réussira. La décision prévue sera abandonnée s'il devient évident qu'elle n'a pas de sens, ou elle sera bonifiée.

Les processus de consultation formelle sont nombreux dans notre société. Certaines consultations ont un caractère très juridique (comme les commissions royales d'enquête), d'autres sont très formalisées comme les audiences publiques du BAPE, d'autres plus souples, moins figées, plus ou moins poreuses selon l'opinion des observateurs comme tant d'audiences publiques, de consultations publiques, de rencontres publiques. Dans le cas de l'environnement, il y a des audiences publiques où la commission est appelée à rendre la décision, comme aux État-Unis. Auquel cas, la procédure doit se judiciariser et s'inscrire dans le droit, la commission assumant alors un véritable pouvoir. Dans d'autres cas, la commission émet un avis, comme l'a fait le BAPE. La procédure du BAPE s'apparente à un arbitrage non contraignant *(non-binding arbitration)*. Plus la procédure est précise, rigoureuse, encadrée, plus nous nous rapprochons de la forme du tribunal. Plus elle offre alors de garanties d'impartialité. Mais plus elle risque la sclérose et la routine car les acteurs apprennent à jouer un rôle stéréotypé. Plus la procédure est souple au contraire, plus grands sont les risques de manipulation, mais plus il y a des chances d'innovation et de déplacement des acteurs. La commission Bélanger-Campeau était le prototype de la commission mal foutue: une commission trop nombreuse encombrée de vedettes et de politiciens, des commissaires aux opinions publiques connues et surtout pas neutres, une documentation assez mince, un pouvoir discrétionnaire d'entendre ou non, un délai court, etc. Elle a pourtant donné des résultats inattendus parce que la population y a cru et a dit ce qui lui tenait à cœur. Dans ce cas-là, la tenue de la consultation était le vrai résultat, bien au-delà du rapport final.

Nous avons cité précédemment l'article de Ouimet et Yergeau sur les règles de l'audience publique. Consciemment ou non, les auteurs privilégiaient le caractère procédural de la consultation, sa démarche «quasi judiciaire» en occultant l'interaction des acteurs. L'expérience depuis montre qu'une consultation ne peut prétendre viser tous les objectifs, selon par exemple qu'il s'agit d'une orientation, d'une politique ou d'un projet, selon que l'on est très en amont d'une décision, selon la nature des enjeux et des acteurs. Par exemple, les participants aux audiences du BAPE insistent beaucoup sur le pouvoir d'enquête et sur la capacité de contrainte que ce pouvoir donne aux commissaires. Or, la procédure du Bureau de consultation de Montréal, largement inspirée de celle du BAPE, ne prévoyait pas ce pouvoir. Il est même arrivé que, sur des projets similaires, le BCM et le BAPE ont tenu des audiences: celles du BCM ont été moins dures et moins stressées que celles du BAPE. Il est possible que le BCM ne possédant pas le pouvoir d'enquête tant demandé ait été tenu de convaincre davantage le promoteur et que cela se soit traduit sur le contexte de l'audience. Notre opinion rejoindrait partiellement celle de Parenteau selon lequel il est difficile de parler absolument d'un modèle meilleur que les autres. Il convient plus humblement de poursuivre «une analyse plus détaillée de la dynamique propre de chaque expérience et de distinguer les expériences entre elles (Parenteau 1988: 10). Parenteau affirme cela dans une perspective de recherche. Nous le reprenons sous un angle davantage praxéologique. La consultation formelle rend officielle une volonté de partager du pouvoir avec des «ayants intérêt.» Elle suppose une démarche explicite et cohérente et postule souvent un tiers qui, à la fois, assure la transparence et protège les plus faibles. Selon que ce tiers se percevra comme un juge, un *facilitateur*, un animateur, les résultats iront dans le sens de l'arbitrage, de la conciliation ou de l'éducation. Au terme du processus, il appartiendra aux acteurs de dire si le jeu en valait la chandelle.

Chapitre VI

La collaboration

Selon M. Duverger (1964), il y a dans la société deux forces con-traires: une force centrifuge qui tend à faire éclater la société sous la pression des différences, des divergences et des conflits, et une force centripète qui cherche à recréer l'unité et la cohésion du corps social. Il s'agit là d'une distinction assez simpliste, puisque les sociétés se font et se défont continuellement, mais fort utile. On la retrouverait de multiples manières chez d'autres auteurs, par exemple chez Platon plus sensible à l'unité de la société, chez Aristote plus attentif à sa diversité, ou dans la typologie du centre et de la frontière mise de l'avant par Douglas et Wildavsky (1983). La consultation formelle, par sa structure et sa dramatique, incite davantage les acteurs à dire leurs divergences et donc à mettre à l'épreuve le lien social, bien que sa finalité en soit une d'intégration et donc de résolution de conflit. On consulte pour pouvoir prendre une décision.

La collaboration vise le même but, mais par un autre chemin. Au lieu de dramatiser les divergences, elle cherche à mettre en œuvre les forces de convergence et à amener les acteurs à se parler entre eux, à discuter, à négocier, à trouver des solutions à leurs problèmes. Dans la consultation formelle, les opposants parlent à un tiers: un président, un enquêteur, un commissaire et, derrière ce tiers, à d'autres tiers évoqués ou nommés: le gouvernement, l'opinion publique, la justice. Le cadre du discours se prête donc à la dénonciation et à l'imprécation. Dans la collaboration, on parle moins à un tiers (et ce n'est pas le même tiers) mais davantage à son opposant, à son adversaire. L'interaction directe, la plupart du temps à l'abri des caméras, change le contexte du discours.

Dans la municipalité fictive de St-Clinclin, la pression pour le développement résidentiel devient forte. Traditionnellement, St-Clinclin est un village rural à vocation agricole et forestière. Depuis 1945, la population a plutôt diminué: les jeunes ont quitté un milieu sans beaucoup d'avenir pour Montréal; les petites fermes ont périclité au profit de fermes plus grandes dans un contexte d'agriculture carrément industrialisée; aucun grand projet industriel n'a vu le jour. Mais dans la partie nord du village, dans la montagne, un secteur de villégiature modeste s'est développé, à l'origine sans planification mais, depuis une vingtaine d'années, avec plus de cohérence. Avec l'étalement urbain, St-Clinclin tend à devenir maintenant une banlieue de Montréal. Quelques promoteurs ont ouvert des rues dans la forêt et procédé à du lotissement. Des développements domiciliaires surgissent ici et là.

Dans la population, les opinions sont partagées sur l'évolution du village. Les plus âgés s'alarment du trafic croissant et se sentent envahis par les nouveaux venus. Les gens de la construction et du commerce sont plutôt euphoriques. Les cultivateurs craignent que, bientôt, on cherche à contraindre leur production pour cause de nuisances: odeurs, bruit, etc. Ils sont donc plus que réticents à l'égard de l'évolution. Ils craignent aussi la pression de la spéculation sur les terrains qui, à la longue, rendrait l'agriculture non rentable. Le bruit court qu'on pourrait *dézoner* une section du territoire agricole pour favoriser un important développement domiciliaire. Les membres d'un club d'équitation s'opposent vivement à cette idée: ils utilisent ces terres en friche pour leurs randonnées. Une bonne partie de la population s'inquiète de l'effet potentiel de constructions nouvelles sur le compte de taxes municipales et scolaires. Pour l'instant, chaque maison a son puits et son système d'épuration. Verra-t-on émerger un territoire plus urbanisé qui demandera ensuite un aqueduc, un système d'égout, de l'éclairage? L'école deviendra-t-elle trop petite? Les vieilles rancœurs se réveillent. Jérôme Leduc, cultivateur important, se rappelle les manœuvres du maire Lionel Brazeau quand il avait été question du chemin des trois travées. Marlène Proulx pense que le petit *dézonage* entrevu cache un projet plus important: il y a eu beaucoup de travaux d'arpentage dans le coin depuis deux ans et elle a entendu parler de géologues. Veut-on ressusciter le projet de la mine Wilcok oublié depuis 20 ans?

Bref, il s'agit d'un petit cas fictif qui pourrait bien ressembler à celui de votre coin de pays. Un site d'enfouissement, un incinérateur, une carrière et sablière, la fermeture de l'école du quartier, un parcours nouveau pour l'autobus scolaire, le déplacement d'une partie des activités du CLSC, l'élargissement d'une route, un projet de régates sur le lac au mois d'août, le réaménagement de la voie ferrée en parc linéaire, la venue d'un gros centre commercial? Qu'importe! Dans l'équilibre fragile d'une communauté, la venue d'un élément perturbateur soulève de l'inquiétude et des oppositions.

Que peut-il se produire à St-Clinclin? On peut faire semblant qu'il ne se passe rien et laisser évoluer la situation en souhaitant qu'elle se tassera toute seule. Mais il est permis d'en douter. Lyne Gadbois, farouche opposante au projet, a vu deux hommes avec des scies mécaniques rôder à la brunante au trécarré de sa terre. Cherche-t-on à l'intimider? Elle craint pour ses vieux pommiers. La situation pourrait donc se dégrader rapidement.

Autre hypothèse: le promoteur peut essayer de créer la division au sein du clan adverse. On prétend qu'Henri Huot a reçu une offre très alléchante pour sa ferme, bien au-delà du marché, tandis que le vice-président du club d'équitation aurait reçu une invitation pour un week-end de pêche dans une pourvoirie près de Mont-Laurier. Mais c'est là une stratégie boomerang car Jérôme Leduc l'a su et il a parlé à un journaliste de Radio-Canada...

Troisième stratégie possible: confier le différend à un groupe d'experts qui étudiera les vocations du territoire et pourra émettre un avis sur les effets possibles d'un développement domiciliaire dans la zone entrevue. Mais la controverse risque de démarrer autour de l'étude elle-même: qui la fera? qui la paiera? Et l'on sait déjà que, quels que soient les résultats, les opinions divergeront. Comme dit Marthe Nepveu: «On ne veut pas une étude, nous. On ne veut simplement pas de projet. Point à la ligne.» — «Mais tu ne sais même pas de quel projet il s'agit», lui objecte sa voisine, Martine Longtin.

Quatrième hypothèse: le maire suggère une mini-audience publique. Il a convoqué les citoyens pour 19 h 30 un mardi. D'emblée, il assume la présidence: «Mes amis, on va étudier tous les aspects du projet et je suis sûr que bien des gens, peu informés jusqu'à maintenant, vont voir les choses d'un autre œil. Je vais donc demander au représentant du promoteur de nous parler du projet.» Ce fut une joyeuse réunion. Les représentants du promoteur se sont avancés: deux hommes et une femme en habit du dimanche, avec des cartes, des documents, un rétroprojecteur. «Nous estimons que notre projet n'apporte aucun inconvénient ou risque significatif mais qu'il comporte de très nets avantages pour l'ensemble de la population.» Quand Lionel Legault signala que le plan projeté sur l'écran localisait mal son érablière et qu'il y avait erreur sur le nom d'autres propriétaires, la tension monta. Quand Josée Blanchette demanda quelles garanties on avait que le projet entrevu n'obligerait pas la municipalité à bâtir un aqueduc d'ici cinq ans, le maire se sentit visé: « je vous en donne ma parole.» «Ta parole, Lionel, on sait ce qu'elle vaut!» Alors le tintamarre commença. «C'est pas une réunion d'information, c'est un lavage de cerveau.» «Les vieux sont encroûtés dans leur routine et ne veulent pas se faire déranger. Nous autres, on veut que ça bouge dans St-Clinclin.» On en vint aux gros mots: vendus, tripoteux, peureux, pépères, magouilleurs. À vingt-deux heures, le maire fit venir la police au cas où ça tournerait mal. En regardant au fond de la salle, il aperçut deux journalistes avec leur calepin. Quand Julie

Lamirande lui lança: «cette réunion-là va te coûter la prochaine élection», il se mit à rire. Mais au-dedans de lui, il pensait qu'elle avait raison et qu'il lui faudrait sortir de ce guêpier. À la radio, un expert observateur faisait remarquer qu'une véritable audience publique, ça demande d'abord une étude d'impacts, une commission indépendante, des délais d'au moins quatre mois pour l'audience seulement, et un rapport public. Pratiquement donc, un an de délai, une dépense d'au moins 300 000$ pour le promoteur et aucune garantie de pouvoir ensuite aller de l'avant.

Décidément, les décisions semblent de plus en plus difficiles à prendre dans notre société. Malgré les meilleures intentions et les mécanismes mis en œuvre, il y a toujours des opposants à un projet. Une partie du public ne parvient pas à comprendre comment on a pu tenir compte de ses intérêts. Ignorante de l'ensemble du processus suivi, elle se sent comme mise de côté. Et avec raison. Elle se sent donc attaquée et cherche à se défendre. Au surplus, il n'est pas si facile, ni si simple, de savoir ce que l'on veut, de bien identifier son intérêt dans une question. Pour sortir de ce type d'impasse, l'important n'est pas d'imposer sa volonté coûte que coûte, mais d'apprendre à identifier ses intérêts et à les faire valoir. C'est bien de gagner une bataille mais, après la bataille, les gens de St-Clinclin devront continuer à vivre ensemble. Il existe, dans certains milieux, des conflits qui ont laissé de profondes déchirures et dix ans, vingt ans après, on se demande si l'enjeu en valait vraiment la peine.

C'est dans cette perspective de recherche du plus grand intérêt pour chacun que s'inscrit le mouvement dit de la collaboration. Il repose sur une base profondément empirique: quels sont les intérêts de tous les gens pouvant être affectés par un projet? Ces intérêts sont-ils irréconciliables ou conciliables et à quelles conditions? Peut-on apporter aux décisions entrevues des changements qui bonifieraient le projet et procureraient des avantages aux uns et aux autres? Derrière ces considérations, on reconnaît le pragmatisme anglo-saxon qui prend racine dans une doctrine morale discutable mais très répandue qui s'appelle l'utilitarisme. Est bien ce qui procure du plaisir, mal ce qui procure du déplaisir. Est bien ce qui procure le plus de plaisir au plus grand nombre et le moins de déplaisir au plus petit nombre. À une dynamique du combat, de l'opposition, de la polarisation, le mouvement de la collaboration oppose donc une démarche visant à définir et à rechercher les intérêts de tous les acteurs concernés. «La collaboration est un processus à travers lequel des parties qui voient différents aspects d'un problème peuvent explorer leur différence de manière constructive et chercher des solutions qui vont au-delà de leur vision limitée de ce qui est possible» (Gray 1991: 5)

La collaboration est une réalité à la fois neuve et ancienne. Ancienne parce que depuis toujours les humains savent que la collaboration est indispensable à la vie humaine. Neuve, dans la mesure où, appliquée de manière systématique à la mise en œuvre de projets sociaux, elle permet de déplacer les problèmes et de secouer les schémas un peu figés dans lesquels on a tendance à couler la participation publique. Il s'agit donc d'une nouvelle systématisation, qui reprend des techniques et des méthodes déjà connues, mais les met en forme dans une problématique différente. Comment, à propos d'une décision à prendre, d'un projet concret, les gens concernés peuvent-ils être associés à la définition du problème et à la mise en place de la meilleure solution possible pour chacune des parties impliquées? Les processus de collaboration accordent un véritable pouvoir à tous les acteurs concernés et constituent une forme très élaborée et très audacieuse de participation. Mais ils les obligent à se parler, à devenir proactifs les uns à l'égard des autres.

Un vocabulaire nouveau

Dans la littérature abondante qui gravite autour de la collaboration (et de la résolution de conflits), on trouve des mots clés qui reviennent sans cesse, notamment les mots processus, parties, intérêts, enjeux, consensus, sans oublier tout le vocabulaire plus technique du conflit et de sa résolution que nous aborderons au chapitre suivant.

Quand on parle de *processus* de collaboration, on parle d'une démarche formelle et systématique dans laquelle les parties s'engagent. Dans la procédure d'évaluation et d'examen des impacts, la séquence est déjà fixée par la loi et les directives administratives du ministère. Le processus est formel et prédéterminé par l'État. Dans le cas d'un processus de collaboration, un décideur (un promoteur privé ou public) signifie aux parties intéressées qu'il veut les associer à sa démarche pour prendre une décision. Il peut soumettre toute sa décision, ou seulement certains éléments de cette dernière, et suggérer des manières de faire en tenant compte d'un certain nombre de contraintes. Mais c'est ensemble que toutes les parties, y compris le décideur, conviennent de la démarche à suivre, de ses étapes, de son contexte. Un processus de collaboration est donc fait sur mesure et convenu entre les acteurs. Le groupe définit et gère pour lui-même sa propre démarche, soit sous la direction du preneur de décision ou d'un de ses membres qui agit alors comme *facilitateur*, soit sous la direction d'un animateur spécialisé qui l'aidera à travailler, en commençant par mettre en place le processus et adopter des règles de conduite. Il y a des processus de collaboration énormes, comme celui qui fut mené par Creighton auprès de 150 compagnies clientes d'une *Utility* américaine qui exigeaient toutes d'être présentes aux séances de travail, ou comme les travaux de la Table de consultation sur l'énergie au Québec que nous avons évoqués au chapitre III. Il y en a de plus modestes, impliquant moins de dix acteurs, où des questions se règlent en trois rencontres ou moins.

On appelle *parties* les personnes ou les groupes directement affectés par un projet, qui en subiront des désavantages ou en profiteront. On pense donc d'abord aux gens proches physiquement, vivant dans le voisinage, mais aussi à d'autres qui pourraient subir des nuisances indirectes comme les gens d'un autre quartier d'une ville qui recevraient le panache de pollution d'une entreprise. On considère également comme parties des gens qui détiennent un pouvoir sur la décision, peuvent la favoriser ou l'empêcher par leur autorité, leur prestige, leur savoir, leur capacité de mobiliser l'opinion publique. Ainsi, pour revenir à notre exemple de St-Clinclin, un processus de collaboration devrait considérer comme des parties le promoteur, la municipalité, les gens avoisinant le site, un comité de citoyens qui s'intéresse au développement et à l'avenir de St-Clinclin, le club d'équitation, des représentants des autorités appelées à donner des autorisations (le MEF, l'Agriculture, peut-être la MRC, etc.), peut-être le comité d'école, l'association des ornithologues, la chambre de commerce, etc. S'il est essentiel que tous les acteurs y soient, il faut écarter les simples curieux de même que ceux qui viennent pour des raisons non reliées au dossier, ce qui est assez complexe à déceler car bien des gens dissimulent leurs véritables intentions. La définition de *partie* est donc pragmatique et couvre à la fois l'intérêt et le pouvoir. C'est une notion souple et opérationnelle. Si on se rend compte en cours de route qu'une partie a été oubliée, on l'invite. Par ailleurs, une partie concernée invitée à participer et qui refuse de le faire risque de perdre de sa crédibilité dans le milieu si les autres ensemble parviennent à un accord mutuellement avantageux. Règle générale, quand on parle de parties, on parle de groupe, bien qu'il puisse arriver qu'un individu seul puisse constituer une partie. Chaque partie désigne son représentant pour participer au processus de collaboration, mais il est essentiel que la personne désignée fasse partie du groupe qu'elle représente. On évitera ainsi de se retrouver avec des professionnels (avocats, négociateurs, experts, etc.) qui changeraient la dynamique du groupe. Il faut que les personnes impliquées dans le processus de collaboration puissent s'engager et, en un sens, lier le groupe dont elles sont les porte-parole.

La notion d'*intérêt* constitue probablement le concept clé des processus de collaboration et de résolution de conflits. La notion n'est pas d'abord pécuniaire puisque l'intérêt peut porter sur bien des aspects: le temps, l'argent, des éléments relatifs à la qualité de la vie, la reconnaissance et le prestige, les valeurs symboliques et les croyances, ou simplement le besoin de sauver la face. Quand des parties divergent profondément sur une décision à prendre, il faut amener les gens à faire deux distinctions essentielles: séparer les personnes des problèmes puisque tant de fois, dans nos conflits, notre problème c'est la personne de l'autre; il faut ensuite séparer les positions des intérêts (Fischer et Ury 1991).

Il est bien connu que, dans une discussion serrée, pour prendre avantage sur notre adversaire, une tactique consiste à lui glisser une allusion personnelle. Il est alors déstabilisé et peut perdre complètement ses idées, sortir de ses gonds, etc. Tactique déloyale mais universelle. Dans un processus de collaboration, il faut faire l'opération inverse: détacher constamment la personne du problème et traiter le problème comme une réalité extérieure à partir d'informations valides et de principes rationnels. C'est pourquoi il est plus facile de commencer le travail par des questions périphériques pour permettre aux gens de s'apprivoiser un peu. Ensuite, il convient d'amener les parties à distinguer leur position et à explorer les intérêts sous-jacents à leur position. Pourquoi les personnes âgées de St-Clinclin ne veulent-elles pas voir arriver des nouveaux venus? De qui ont-elles peur? Il pourrait suffire d'une ou deux rencontres avec les nouveaux arrivants pour que la relation s'établisse et que la peur disparaisse. Dans la vie, on ne peut négocier ses principes, ses valeurs, ses visions du monde. Mais si chacun parvient à bien identifier ses intérêts, peut-être finira-t-on par s'entendre. Parfois on n'y parvient pas, et on peut glisser vers l'absurde, comme ces couples en voie de divorce déchirés par la question du partage du patrimoine commun où l'un des conjoints vend un bien commun à un prix dérisoire pour priver l'autre de sa part. Le plus difficile dans un processus de collaboration ou de résolution de conflit, ce sont souvent les gens qui affirment n'avoir aucun intérêt et qui, n'arrivant pas à distinguer leurs vrais intérêts, se bloquent finalement dans des positions absurdes ou font de leur personne l'enjeu ultime. Dans le film *Douze hommes en colère (Twelve Hungry Men)*, on voit un jury délibérer sur la responsabilité d'un jeune accusé de meurtre. Un des membres du jury doute de la rigueur de la preuve et décide d'en analyser tous les éléments, l'un après l'autre, amenant ainsi les autres membres du jury à changer de position. Le dernier membre du jury résiste jusqu'au bout à cause d'un blocage affectif émouvant. Il comprend subitement qu'à travers l'accusé, il voit son propre fils en conflit avec lui. Une fois libéré de ce fantasme, il peut analyser les éléments de preuve et convenir de l'innocence de l'accusé.

La notion d'*enjeu* est particulièrement cruciale. Au sens littéral, l'enjeu désigne «l'argent que l'on met en jeu en commençant la partie et qui doit revenir au gagnant». Par extension, «ce que l'on peut gagner ou perdre, dans une compétition, une entreprise» (Le Petit Robert). L'enjeu correspond donc à un risque, positif ou négatif, à une situation où il peut se passer quelque chose de compromettant, d'irrévocable.

Revenons à la quatrième hypothèse de notre exemple de St-Clinclin. En convoquant une réunion publique et en s'affichant ouvertement pour le projet entrevu, le maire prend un risque. S'il réussit à convaincre sa communauté de la valeur du projet, il ajoute un fleuron à son image de bâtisseur, fait taire ses opposants et se place en position stratégique pour la prochaine élection. Si la réunion tourne mal, il risque au contraire de perdre une partie de son prestige, ce que tient à lui signaler Julie Lamirande. Indépendamment de la valeur intrinsèque du projet envisagé, l'enjeu pour le maire renvoie donc à une partie de sa carrière politique. Mais supposons que le maire ait déjà de toute façon décidé, sans le dire, de ne pas se représenter aux prochaines élections. La question de sa carrière politique ne constituera donc pas un enjeu pour lui. L'enjeu renvoie ainsi à la position d'acteur que chacun joue dans une négociation, dans le rapport de forces complexes qui interfèrent dans une décision. Dans un processus de collaboration, chaque acteur doit donc non seulement identifier ses intérêts, mais aussi comprendre l'enjeu que cela représente pour lui ou pour autrui.

Il peut arriver que l'enjeu dépasse largement les intérêts en cause. «J'ai perdu ma maîtresse sans l'avoir mérité pour un bouquet de roses que je lui refusai», dit la chanson. L'intérêt d'économiser une dépense limitée a eu pour conséquence la perte d'un amour. Pour l'amant éploré, l'enjeu dépassait très largement l'investissement du bouquet. C'est pourquoi, quand un processus de consultation ou de collaboration est offert, participer ou ne pas participer constitue déjà un enjeu. Qui participe valide en quelque sorte le jeu qui est offert, mais peut en retour influencer le résultat de l'exercice. Se présenter devant une commission, c'est reconnaître la valeur de cette commission, mais c'est également avoir l'opportunité d'en influencer le rapport final. Refuser de se présenter devant une commission, c'est en contester la valeur, ou l'importance, ou le pouvoir. Mais c'est aussi se mettre hors jeu et renoncer à l'opportunité de convaincre la commission des opinions que l'on défend. Qui se met souvent lui-même hors jeu finit par perdre son influence!

Le mot enjeu déborde donc largement le terme anglais de «issue» qui correspond davantage à un objet de discussion ou à un point à régler dans une négociation. En plus des risques de la mise et du pari, l'enjeu désigne quelque chose de plus large, jusqu'à signifier le rôle qu'un acteur assume dans une situation donnée, une forme de prestige, une aire d'influence, une renommée. «En négociant avec un partenaire interne ou externe à l'entreprise, soyez donc très attentif au fait que les enjeux en discussion les plus voyants recouvrent en fait souvent des enjeux sous-jacents plus obscurs et parfois plus "brûlants" que ceux dont on débat bruyamment» (Leroux 1992: 15-16).

Dans un processus de collaboration, ce qui est offert aux acteurs c'est de participer à la définition d'une solution acceptable à toutes les parties. En s'inscrivant dans ce processus, un acteur doit donc juger d'abord ce qu'il peut gagner ou perdre en acquiesçant de jouer le jeu, en n'oubliant jamais que c'est en jouant qu'on apprend à jouer. Il est en général préférable de perdre un peu en jouant que de perdre beaucoup en ne jouant pas.

Le terme *consensus* auquel vise tout processus de collaboration désigne le consentement ou l'acquiescement de chacune des parties à l'accord intervenu. Le consensus n'est pas l'unanimité, l'union des cœurs, l'adhésion affective de tous à un projet commun. C'est quelque chose de plus modeste, l'acceptation d'une solution négociée, ce avec quoi on peut vivre même si ce n'est pas optimal. Le consensus correspond en général à la meilleure décision qu'un groupe peut prendre dans une situation donnée, mais ne correspond pas nécessairement à la décision souhaitée par chacun des acteurs. Chaque partie peut donc être plus ou moins mécontente du résultat d'un consensus, mais s'y rallier parce qu'il s'agit de la solution la plus raisonnable compte tenu des acteurs impliqués. Si le consensus ne désigne pas un contenu affectif et sentimental, il désigne toutefois l'engagement des parties à respecter la décision commune. «Le consensus est achevé quand chaque partie (stakeholder) convient qu'elle peut vivre avec la solution proposée, sans que cela ne soit sa solution préférée» (Gray 1989: 25). Dans la pratique, le consentement spécifie donc la volonté de respecter l'engagement, de ne pas le critiquer publiquement (Carpenter et Kennedy 1991: 184) et de faire sa part pour le mettre en œuvre.

Dans le cas de l'incapacité de parvenir à un consensus final, les parties peuvent convenir de faire le bilan de leurs convergences et de leurs divergences. Quand une autorité a convoqué des partenaires et doit prendre des décisions sans être parvenue à une entente finale, elle doit alors exercer son propre arbitrage. La recherche de consensus ne doit pas mener à l'incapacité de décider.

Les principales étapes d'un processus de collaboration

Un processus de collaboration n'a rien d'un grand mystère. C'est s'asseoir ensemble pour trouver une solution à un problème, sans ignorer ses différences, sans cacher ses divergences, mais en cherchant tout de même ensemble une ou des solutions possibles. Si on décompose les étapes d'un processus de collaboration, on peut proposer la démarche suivante.

Étape I: la définition du problème

- L'identification des parties impliquées.
- L'accord sur un premier diagnostic/bilan.
- L'identification des questions à documenter.
- L'accord sur la procédure, sur les règles de fonctionnement et sur l'échéancier.

Comme nous l'avons indiqué précédemment, les parties sont les personnes ou les groupes qui ont un intérêt dans la question ou dont l'assentiment est important pour la réussite du projet entrevu. Intérêt et pouvoir se recoupent souvent. Si plusieurs groupes représentent un même intérêt, il y a avantage à suggérer une coalition de ces groupes afin de limiter le nombre des participants. Il est plus facile de travailler avec un groupe ne dépassant pas beaucoup vingt personnes. Pour obtenir l'accord des parties à travailler ensemble, il faudra souvent que l'animateur/*facilitateur* ait fait la navette auprès de chacune pour expliquer le contexte et offrir les garanties préliminaires de sérieux et de rigueur.

L'accord sur un premier diagnostic/bilan permet de commencer le travail. Il suppose la constitution d'un dossier commun et le dépôt des études et rapports pertinents au dossier. Il importe qu'au départ les participants disposent des mêmes sources. L'identification des questions à documenter amorce le travail proprement dit, car avant de discuter il faut ensemble convenir des mêmes faits. Comme il y a souvent des conflits d'expertise, les parties conviendront ensemble des points à clarifier et identifieront les experts susceptibles de guider le groupe dans la recherche des faits.

Enfin, il faut s'entendre sur les procédures. Comment se déroulera le travail? Qui présidera? Où se réunira-t-on? Dans les négociations difficiles, il faut parfois discuter jusqu'à la forme de la table et la disposition des chaises! De quelles ressources dispose-t-on? Question toujours délicate puisque les ressources en argent et en personnel sont fatalement limitées, alors que les groupes de citoyens, disposant de peu de moyens, demandent des subsides, parfois même un *per diem*. Il est souvent important d'établir un échéancier et de fixer une date butoir, car l'urgence de l'échéance exerce une pression sur les partenaires et les force à régler. Il importe aussi de s'entendre sur un code de bonnes pratiques, proche des règles déontologiques, sur ce qu'on peut et ne peut pas faire dans une pareille démarche (voir p. 87-88). On doit également clarifier les communications avec les médias et les règles de discussion concernant les échanges entre les participants.

Étape 2: la collaboration proprement dite

- Le traitement des questions identifiées.
- L'identification des enjeux et des contraintes.
- L'identification des objectifs à atteindre.
- L'identification des critères.
- L'identification des hypothèses de solution et création de nouvelles si nécessaire.
- L'évaluation des hypothèses en fonction des objectifs, des critères et des contraintes.

Nous entrons ici au cœur de la tâche qui peut s'avérer extrêmement technique selon les expertises des participants. Le travail consiste à définir les termes de la décision, à fixer le cadre critique qui permettra ensuite de prendre une décision. C'est ici qu'apparaît principalement la différence entre une simple consultation publique plus sensible aux aspects globaux, aux valeurs et au champ symbolique et un processus de collaboration tenu d'identifier les enjeux, les objectifs et les contraintes, et de les mettre en œuvre dans une solution concrète. Les enjeux évoqués sont ceux du groupe de travail lui-même — ce qui peut se gagner ou se perdre pour la cause ou l'ensemble des acteurs réunis —, mais ces enjeux ne sont pas entièrement dissociables des enjeux de chacun des acteurs, apparents et sous-jacents. Les objectifs sont des résultats à atteindre, que l'on peut décrire et dont on peut mesurer la réalisation. Les contraintes renvoient au principe de réalité, bien connu en psychanalyse. Elles sont d'ordre politique, technique, financier, social, idéologique, légal. Elle peuvent être dictées en partie par le rapport de forces qui s'instaure entre les parties.

Ce travail d'élucidation des objectifs, des critères, des contraintes amène le groupe à construire l'équivalent d'une grille d'impacts, et certains acteurs comme Raiffa (1982) font volontiers appel à des systèmes experts ou à des modélisations pour imaginer différents possibles.

Pour trouver une solution, le groupe est invité à identifier des hypothèses de solution et à créer de nouvelles hypothèses si nécessaire. Ici, les méthodes de travail varient beaucoup selon les participants, les traditions locales et l'animateur. Certains préfèrent évaluer plusieurs hypothèses, en les comparant l'une à la suite de l'autre ou concurremment en petits groupes, pour ensuite retenir une hypothèse préférentielle qu'on bonifiera peu à peu. D'autres préfèrent travailler sur une seule hypothèse qui est constamment remodelée au fur et à mesure de l'examen. D'autres, comme nous l'évoquions, cherchent à modéliser et à élaborer des scénarios. L'important ici n'est pas la méthode en soi, mais la capacité de libérer l'imagination et d'élargir le champ des possibles. Les techniques de *brainstorming* (Rossiter et Lilien 1994) et les exercices de créativité peuvent s'avérer très utiles.

Étape 3: la négociation

Une fois que le groupe a retenu une hypothèse de solution comme apparemment la plus robuste, si les antagonismes et les divergences sont vifs, il peut y avoir une période de négociation. La négociation est dite intégrative ou coopérative quand on cherche à améliorer le résultat final en permettant au plus grand nombre d'acteurs de faire des gains (jeu à somme croissante qui correspond au fameux *win-win*); elle est dite distributive ou conflictuelle quand le gain de l'un apparaît comme la perte de l'autre (jeu à somme zéro). Comme nous aborderons formellement la négociation au chapitre suivant, nous n'élaborons pas plus longuement ici sur ce point.

À travers la négociation, la solution retenue prend forme dans le détail, à moins qu'un état de crise oblige à redéfinir une nouvelle hypothèse. Au terme du travail, le groupe est invité à se rallier à une entente commune.

Étape 4: la mise en œuvre

- La vérification de l'appui des commettants aux résultats de la négociation.
- L'élaboration détaillée de la solution retenue.
- Le suivi de l'entente et la mise en place d'un mécanisme de vérification de la conformité des activités entreprises et de résolution des difficultés complémentaires.

Pour qu'il y ait entente ferme, il faut que les parties adhèrent au consensus. Les personnes qui ont convenu de l'entente négociée doivent donc retourner vers leurs commettants pour obtenir leur adhésion finale. En général, le processus de va-et-vient entre un représentant et son groupe fait l'objet de nombreuses démarches de sorte que l'entente finale pose peu de problèmes. Mais il arrive aussi que des groupes rejettent les ententes conclues par leur représentant, l'accusant d'avoir mal négocié ou de n'avoir pas bien suivi les consignes. Fait plutôt rare, mais douloureux.

Après avoir convenu d'une entente, il faut la mettre en œuvre. Il peut s'avérer que la solution retenue ne puisse être mise en œuvre telle quelle, parce qu'il manquait une information, ou que la situation sur le terrain a changé, etc. Il faut donc prévoir un mécanisme d'ajustement pour à la fois respecter l'entente et obtenir la flexibilité nécessaire. Il suffit de penser, dans le cas d'un divorce, aux difficultés inhérentes à la mise en œuvre de la convention acceptée pour les jours de garde parentale et le partage de certaines dépenses. On doit prévoir des mécanismes complémentaires d'information, d'échange, de discussion. Si, dans les phases 2 et 3 du processus, les parties ont appris à collaborer et ont bâti des relations de confiance, ces réajustements sont faciles! Si la méfiance règne, c'est plus difficile.

Le parcours suggéré fait un peu penser à une recette de cuisine qui déploie formellement les gestes que nous accomplissons machinalement. À l'analyse, on réalise toutefois à quel point un processus de collaboration associe les différentes parties à la prise de décision, et même à la définition de la solution retenue. Le fait que les parties conviennent des démarches à suivre contribue également à assurer la transparence des processus. Enfin, un processus de collaboration est progressif et itératif. Par ailleurs, on comprend qu'un pareil processus ne puisse être entièrement défini dans un cadre juridique. Il exige souplesse et adaptation, ce qui rend plus complexe et plus difficile le rôle de l'animateur, ou *facilitateur*, chargé de faire travailler un groupe. Le processus de collaboration est donc l'idéal pour prévenir les conflits. Pour les solutionner, il faut fréquemment y inclure une partie plus formelle de négociation, avec ou sans médiateur.

Les principes directeurs de la collaboration

On pourrait les résumer de la manière suivante:

1. L'autorité établit un «contrat loyal» avec les parties qu'elle souhaite associer à sa démarche.
2. La démarche de l'autorité est authentique: ses engagements et ses objectifs sont clairs en vue d'un règlement des litiges réels ou potentiels.
3. Le processus de collaboration est itératif et interactif. Il suit un parcours prévisible et s'appuie sur une démarche d'apprentissage et de rétroaction continue entre l'autorité et les participants.
4. Le processus de collaboration implique la reconnaissance de l'existence d'une sagesse et d'un savoir valables chez toutes les parties.
5. De part et d'autre, on accepte de s'inscrire dans un processus qui implique le partage des prérogatives et des pouvoirs.
6. Les rôles et les responsabilités sont clairement définis et expliqués.
7. Un échéancier est établi précisant les étapes clés du processus et les moments de prise de décision de telle sorte que les participants puissent exercer leur influence au bon moment.
8. Si les oppositions sont irréductibles, l'autorité doit exercer son arbitrage.

Des règles de conduite raisonnables dans la gestion des conflits

1 — Les données factuelles ne doivent pas être camouflées sous prétexte qu'elles seraient négatives ou ne favoriseraient pas la cause que l'on veut défendre.

2 — On évitera la dissimulation pour le seul plaisir de dissimuler.

3 — Nul ne doit chercher à retarder délibérément l'étude d'un dossier dans le but de faire échouer une négociation ou d'éviter un résultat non désiré.

4 — Les supercheries visant à mettre l'autre sur une mauvaise piste et faire valoir son propre point de vue ne doivent pas être utilisées.

5 — On évitera la fausse naïveté voisine du mensonge.

6 — On ne contestera pas la motivation de l'adversaire à moins de motifs sérieux.

7 — Les traits personnels ainsi que les habitudes d'un adversaire ne seront pas évoqués à moins que cela ne soit pertinent au dossier.

8 — À chaque fois que cela est possible, on donnera l'opportunité à un opposant de changer de position sans perdre la face.

9 — On s'opposera à l'extrémisme avec vigueur, voire avec émotion, mais non par la mise en place d'un autre extrémisme.

10 — On évitera le dogmatisme.

11 — Les notions complexes seront simplifiées autant que possible pour favoriser au maximun la communication et permettre aux gens sans expertise de les comprendre.

12 — Pour parvenir à certaines conclusions techniques, on déploiera des efforts pour identifier et mettre entre parenthèses les considérations subjectives.

13 — Les données pertinentes seront dévoilées en temps opportun pour l'analyse et l'examen par les pairs, sans obligation légale et cela même aux plus farouches opposants.

14 — Une information professionnelle socialement utile ne sera pas retardée pour la simple poursuite d'avantages tactiques.

15 — On évitera autant que possible les savoirs purement hypothétiques, incertains ou inadéquats.

16 — On évitera les suppositions hâtives et les commentaires impromptus.

17 — Un intérêt personnel dans une solution, des liens personnels avec un proposeur, un biais, un préjudice, une inclination de quelque ordre que ce soit devront être révélés volontairement et normalement.

18 — On poursuivra l'exploration et la recherche selon l'importance des problèmes soulevés. Même si cela peut varier grandement selon la nature des questions abordées, l'effort déployé sera en proportion de la responsabilité globale de chacun dans le dossier.

19 — On doit toujours donner la première place à l'intégrité. (Wessel, cité dans GRAY 1991: 75-76.)

Chapitre VII

La négociation

Dans la vie courante, il y a deux manières de régler pacifiquement nos conflits: nous entendre avec nos adversaires, ou nous en référer à l'autorité pour régler le problème. Il y a aussi la manière forte qui consiste à imposer sa volonté à autrui. Nous n'en parlerons point. En référer à l'autorité, c'est essentiellement la démarche du procès et de l'accusation qui renvoie la décision à l'autorité (arbitrage, jugement, décision). La manière courante et usuelle de solutionner nos griefs, nos conflits grands et petits, c'est de parler à son ou ses adversaires, de faire valoir son point de vue, d'expliquer ses motifs et ses attentes pour finalement trouver une solution. Cela s'appelle négocier. L'origine sémantique viendrait du latin *nec otium* (sans loisirs, sans repos) dont on a tiré négoce qui signifie commerce. Le propre du commerçant est de toujours travailler, ou au moins d'être sans cesse à l'affût de quelque bonne affaire. D'où l'apparentement entre la négociation et le marchandage, dans la recherche du compromis. Et les adversaires de la négociation font également le glissement entre compromis et compromission. En fait, tout n'est pas négociable dans la vie: par exemple, nos convictions, nos valeurs, nos raisons de vivre. Mais il n'est pas rare non plus que certains de nos blocages sur des questions dites de principe cachent une simple fragilité ou une peur de discuter réellement avec autrui. Des refus de négocier ne sont parfois que de simples fuites. D'autres, toutefois, sont des actes de courage et de dignité.

La négociation est la chose la plus courante de la vie pour qui n'use pas de la force. On discute et on négocie avec les enfants pour l'heure du coucher, l'émission de télévision ou la planification des vacances. On négocie entre conjoints pour le menu du souper, l'usage de l'auto, les achats importants et mille autres décisions courantes. On négocie avec son patron, collectivement et selon des rapports très formalisés dans le cadre de la convention collective, mais quotidiennement et informellement pour le travail à faire, la répartition et la priorité des tâches. Dans le commerce qui était traditionnellement le lieu courant de la négociation (le négoce), paradoxalement on ne négocie presque plus, car les prix sont fixes et le gérant n'a presque plus de marge de manœuvre. C'est par le jeu des circulaires publicitaires que la négociation a lieu, par écrit, à distance. L'acheteur avisé sélectionne les aubaines des uns et des autres. Pour le grand commerce toutefois, la négociation joue encore: pour acheter ou vendre une maison, une auto, un système de son, un ordinateur.

La négociation à deux partenaires

La négociation la plus simple et la plus facile à comprendre est la négociation commerciale à deux partenaires. Un vendeur veut vendre à un acheteur, lequel veut se procurer un bien. Le vendeur désire vendre le plus cher possible jusqu'à la limite où l'acheteur refuse d'acheter, ou décide d'aller voir un compétiteur. L'acheteur désire un bien, mais veut payer le moins cher possible. En un sens, les intérêts du vendeur et de l'acheteur sont antagonistes: on parle alors de jeu à somme zéro puisque l'un gagne ce que l'autre perd.

Prenons le cas simple d'un touriste visitant la médina de Fez. On appelle médinas les vieux quartiers des villes arabes, milieux tout à fait typiques par leur architecture, leurs odeurs, leurs couleurs, leur chaleur humaine et leur intensité de vie. C'est là que se trouve le souk avec ses échoppes, ses boutiques et ses magasins de tout acabit. Dans le souk, la négociation est la règle courante, un peu comme ici dans les marchés publics. Autrefois, les gens négociaient longuement autour d'une tasse de thé. Maintenant, cela se fait plus rapidement.

Première situation: le touriste nouvellement débarqué entre dans le souk pour la première fois, accompagné d'un guide impromptu dont la gentillesse l'étonne, l'émeut presque. Notre touriste s'émerveille devant les cuirs, les chapeaux, les objets d'artisanat. Il hésite longuement devant certains bijoux mais comme il se méfie tout de même du faux or et des fausses perles, il continue son chemin. Le guide l'amène chez un marchand de parfums. D'emblée, le marchand lui prend la main, avec un peu plus d'insistance si le touriste est une femme. Il pose une goutte de parfum: «sentez cela, mon ami». Et un autre, et un autre. Avec une allumette glissée dans un flacon, il fait la démonstration que le parfum est pur, sans alcool. Le prix? «Vingt dollars américains.» Le touriste n'a pas de point de référence. C'est moins cher que Lancôme ou Dior. Est-ce meilleur? Sans discuter, le touriste consent, paie et s'en va. Il reste étonné de voir son guide s'attarder et discuter en arabe avec le vendeur. Il comprend que l'autre demande sa commission. Le lendemain, en visitant une autre boutique tenue par l'État, il verra un parfum semblable à un prix dérisoire. Il sait maintenant qu'il s'est fait arnaquer, que le vendeur l'a méprisé et que le faux guide avait trouvé une bonne poire.

Deuxième situation: deux jours après, notre touriste visite une autre médina, celle de Casablanca. Plus aguerri, il y va avec d'autres et refuse l'aide de généreux bénévoles (il peut même louer les services d'un guide officiel ce qui, en certaines circonstances, vaut mieux pour sa sécurité). Attiré par un chapeau, il demande le prix. «Trente dirhams, monsieur.» — «Trente dirhams? Vous voulez me voler. Je vous offre cinq dirhams.» — «Je ne suis pas un voleur, monsieur. Cinq dirhams c'est une insulte.» — «J'en ai vu des semblables à cinq dirhams à Fez.» Et notre touriste voit tout à coup le marchand se mettre en colère et parler très vite en arabe, apparemment insulté. Reprenant ses sens, le vendeur dit au touriste: «Vous mentez. Vous n'en avez pas vu de semblables à cinq dirhams. À ce prix-là, apportez-m'en et je vais vous les payer cinq dirhams, car ceux que je vends je les paie plus cher que cela.» Le guide glisse à l'oreille du touriste: «N'insistez pas. Vous l'avez insulté en le traitant de voleur. Les marchands pensent que les touristes sont des millionnaires issus de pays exploiteurs et colonisateurs. Qu'un touriste les traite, eux, de voleurs, c'est une insulte. Venez.»

TROISIÈME SITUATION: le touriste poursuit donc sa course. À une boutique de cuir, il voit de beaux sacs de voyage de dimensions et de qualité diverses. La conversation s'engage. Avant de parler de prix, le client s'informe des cuirs, des modes de fabrication, de l'entretien. La confiance s'établit. «C'est combien pour celui-ci?» — «Cent dirhams.» — «Et celui-là?» — «Cent vingt dirhams.» — «Et cet autre?» — «80 dirhams.» — «À quatre-vingt dirhams, c'est trop cher. Faites-moi un prix raisonnable.» — «Combien avez-vous d'argent?» — «Il ne me reste presque plus rien. J'ai déjà tellement dépensé.» — «Faites une offre, monsieur.» — «Disons vingt-cinq dirhams.» — «Vous voulez rire, monsieur. Soixante-dix dirhams.» — «Alors, disons 35.» — «Ma dernière offre: 65 dirhams.» — «C'est bien dommage parce que votre sac me plaît. Quel prix vous me feriez pour celui-ci, plus petit?» — «Cinquante dirhams.» Le client hausse les épaules et se dirige vers la sortie. — «Trente-cinq dirhams.» — «Non merci, de toute façon, celui-là est trop petit. Je vous aurais donné quarante-cinq dirhams pour le grand, mais votre dernière offre est trop haute.» — «Disons soixante alors.» — «Cinquante.» — «Cinquante-cinq.» Le marchand tend la main: «Marché conclu: cinquante-cinq.» Le touriste est fier de lui. Il aurait payé volontiers soixante-cinq dirhams. Le marchand, pour sa part, aurait cédé à 45. Le jeu a été plaisant et cordial.

QUATRIÈME SITUATION: poursuivant sa route, le touriste entre dans une boutique d'artisanat: céramique fine, sculptures sur bois, bijoux. La journée avance. Il lui faudrait un cadeau pour ses trois enfants, puis sa collègue de bureau, sa sœur et, pourquoi pas, un souvenir personnel? «Vous avez des bracelets en bois d'olivier?» Il demande des prix à l'aveugle et essaie de voir les marges de manœuvre. Le vendeur prend les devants: «Vous avez des enfants?» — «Oui trois.» — «Regardez ce collier. Je vous le fais pour quarante dirhams.» — «Non vingt.» — «Trente-cinq.» — «Vingt.» La discussion s'enlise. Mais le touriste laisse les colliers et regarde des assiettes en céramique et les faïences. Le marchand flaire le bon coup. — «Je vous offre cette assiette, le collier, deux bracelets, ce châle en batik et les sandales pour deux cents dirhams.» La discussion reprend sur les prix unitaires toujours fluctuants et le prix d'ensemble largement inférieur au total, avec un jeu complexe de substitution. Et le marché se règle à cent cinquante dirhams au plus grand plaisir des deux protagonistes.

CINQUIÈME SITUATION: évoquons enfin un cinquième cas de figure un peu fantaisiste. La boutique est dans un quartier tranquille, plus à l'écart et le climat cordial. Vous examinez des instruments de musique ancienne et le commerçant vous montre comment on faisait les accords. Il est musicien à ses heures. Vous êtes mélomane. Il vous montre une poterie. — «Si vous savez ce que c'est, je vous le donne.» — «Non monsieur, je ne veux pas vous voler: c'est un biberon antique. J'en ai vu un au musée du Prado.» Le commerçant vous est redevable. En lui rendant sa parole, vous avez modifié la relation. Il vous offre des choses à bon compte, mais vous continuez de négocier prudemment. Une fois le marché conclu, il vous fait signe d'attendre et revient avec un pendentif finement ouvré : «C'est un porte-bonheur en usage dans mon village.» Pour ne pas être en reste, vous fouillez dans votre sac: «Je vois que vous aimez la musique traditionnelle. J'ai écrit un petit article sur les artistes populaires qui jouent du violon et qu'on appelle violoneux. Je vous en donne un tiré à part.» Vous échangez vos cartes d'affaires. Désormais, vous savez que vous avez un ami au bout du monde.

Ces cinq cas de figure d'une discussion marchande, le type de négociation le plus élémentaire, illustrent assez bien les difficultés et les temps d'une négociation. Dans le premier cas, il n'y a pas eu de négociation car le touriste n'est pas préparé. Il n'a pas de point de comparaison. Ce n'est pas une vente mais une arnaque, une duperie: ni le marchand ni le client ne veulent se revoir. Dans le deuxième cas, c'est la même situation inversée: connaissant trop peu les règles du jeu, le client insulte son interlocuteur. C'est l'affront. Le troisième cas est classique: l'un et l'autre savent à peu près ce qu'ils veulent, ils savent leur point de rupture (ce que l'on appelle la MESORE, concept que nous expliquerons plus tard); ils arrivent à s'entendre. C'est le marchandage. La quatrième figure évoque ce que nous appelons la novation (en anglais: *creative option*), c'est-à-dire l'émergence d'une solution nouvelle qui permet de dépasser les attentes d'origine en les intégrant dans une solution supérieure. Enfin, la cinquième figure illustre le dépassement de la relation marchande par l'établissement d'une relation personnelle reposant sur la confiance et le respect. Il arrive parfois que des adversaires ou des concurrents développent des sentiments d'estime, voire d'affection.

La relation marchande n'est pas d'essence conflictuelle (on connaît la réclame: même nos amis sont nos clients) mais plutôt concurrentielle, même si elle est en général de type gagnant-perdant. La duperie et l'affront sont de mauvaises stratégies qui ne permettent pas l'établissement d'une relation durable. Quand un commerçant veut faire affaire fréquemment avec un client, il doit instaurer une relation de confiance où l'appât de gagner est tempéré par d'autres considérations. Le jeu n'est plus seulement à somme nulle mais à somme variable. Dans le marketing actuel, devant la force de la concurrence, on essaie de mettre de l'avant des mesures de fidélisation de la clientèle: primes, ristournes, cartes de crédit. Mesures toujours fragiles dans un contexte où les contacts sont de moins en moins personnalisés et où la marge de manœuvre du vendeur est quasiment nulle. Le jeu du marchandage se dilue dans le pouvoir d'achat.

Les négociations à plusieurs partenaires

La négociation à deux partenaires est courante: celle des époux divorcés cherchant à s'entendre sur le partage du patrimoine, la garde des enfants et la pension alimentaire, celle de voisins en litige, ou celle du patron avec ses syndiqués. Les conflits de travail avec leurs règles et leur symbolique, bien qu'ils soient fondamentalement des conflits à deux partenaires (le capital et le travail, la partie patronale et la partie syndicale), ont tendance à se changer en conflits sociaux complexes à cause des autres forces plus ou moins directes impliquées: l'État à titre d'employeur et de client, à titre de législateur, de promoteur de politiques d'ensemble et parfois d'arbitre des conflits. Depuis deux siècles, nos sociétés ont appris à civiliser le conflit de travail et à l'encadrer dans des règles et des procédures très bien définies. Malgré cela, on sait à quel point l'art des négociateurs patronaux et syndicaux est complexe et changeant. H. Touzard (1977) l'illustre de multiples manières. Les acteurs sont dans une double situation de lutte et de collaboration puisque le succès de l'entreprise profite aux deux parties. La convention collective entre dans les jeux à somme non nulle, ou jeux à somme variable. On parle alors de négociation intégrative.

En environnement, les conflits sont toujours des conflits à parties multiples. L'environnement désigne en effet l'eau, l'air, le sol (systèmes physiques), la flore et la faune (systèmes biologiques) et l'environnement social (infrastructures matérielles, rapports de production, groupes humains, systèmes institutionnels). La complexité et la globalité du système écologique font que tout projet ou activité de nature à modifier l'écosystème atteint par ricochet des acteurs fort diversifiés: un promoteur, la municipalité locale, les autorités concernées, les divers usagers de la ressource, etc. Il faut donc, dans chaque conflit, en établir la cartographie pour parvenir à bien identifier les parties potentielles. Si la définition est trop vague, le travail ne s'amorce pas. Si elle est trop serrée, des parties importantes risquent d'être oubliées et les ententes convenues peuvent alors facilement échouer.

La difficulté des conflits à plusieurs parties réside dans leur complexité. Leur avantage, c'est d'éviter la polarisation, en offrant une diversion à des acteurs dont la polarisation devient extrême, ce qui permet souvent de relancer des hypothèses nouvelles. Dans un groupe large constitué, par exemple, d'un entrepreneur, de représentants municipaux, de militants écologistes, de groupes populaires voués à la santé, au loisir, au développement social, nous sommes en présence d'une triple diversité: enjeux, intérêts, culture. Mais l'accord reste difficile à cause du jeu des préférences croisées. En mathématique, si A est plus grand que B et B plus grand que C, il s'ensuit que A est plus grand que C. Dans les choses humaines, il n'en est pas toujours ainsi. Par exemple, le joueur de tennis A peut vaincre le joueur B, le joueur B le joueur C, mais il n'est pas dès lors acquis que A batte C. De même pour les préférences des consommateurs ou des électeurs: un groupe peut préférer A à B et B à C mais aussi C à A. Ce paradoxe avait été mis en évidence par Condorcet, le philosophe mathématicien. Dans la fameuse théorie des jeux, des modèles théoriques et des modélisations par ordinateur sont élaborés pour permettre d'imaginer et d'évaluer les résultats de diverses solutions, dans le but de produire une solution optimale (voir Neumann et Morgenstern 1948, Raiffa 1982, Faure 1991). La théorie implicite veut que les joueurs soient hyperrationnels et finissent par trouver les solutions optimales. L'exemple type est le jeu du prisonnier où deux prisonniers qui ne peuvent communiquer ensemble en arrivent à trouver la meilleure réponse commune. Maintenant, dans la théorie des jeux, on a de plus en plus recours à l'ordinateur pour traduire les hypothèses en valeur mathématique.

Dans la vie réelle, il est bien rare que les acteurs parviennent à être aussi rationnels que le veut la théorie. L'intuition joue souvent un rôle important alors que l'analyse proprement mathématique a peine à saisir ces données fuyantes. Selon Raiffa (1982), la négociation est un art et une science. C'est donc une chose qui s'analyse et s'apprend. Malheureusement, la partie du travail de Raiffa consacrée aux conflits environnementaux est mince et plutôt décevante. Notre intuition est que l'environnement pose des questions d'une complexité nouvelle à cause de l'incertitude scientifique d'une part, et de la question du long terme d'autre part. Raiffa applique à la négociation les catégories de l'analyse décisionnelle *(decision analysis)*. C'est une décision où le niveau d'incertitude est élevé. Il cherche donc à appliquer à la négociation les processus de l'analyse de décision en situation d'incertitude bien connus dans les études de risques et assez critiquables sous l'angle de l'éthique et de la gestion de la société (Beauchamp 1996). D'où le caractère fortement mathématique de ses considérations et sa préférence pour des quantifications monétaires.

Les étapes de la négociation

On peut analyser et décomposer les étapes de la négociation un peu comme nous l'avons fait pour les processus de collaboration. Supposons que, dans le règlement d'un conflit, d'un litige ou d'un problème, des acteurs conviennent de négocier pour trouver, si possible, une solution commune acceptable à tous. S'ils n'y parviennent pas, ce sera la compétition pure et simple, ou le conflit ouvert, ou la détérioration de la situation. Nous en avons eu la démonstration dans le conflit opposant Serbes, Croates et Musulmans en Bosnie-Herzégovine alors qu'on avait l'impression que personne ne voulait vraiment négocier et espérait résoudre le conflit par les armes. Il a fallu attendre le pourrissement de la situation et l'épuisement des belligérants pour que soit abandonné le pur recours à la force et que l'on cherche d'autres voies de solution, encore bien fragiles. Supposons donc que les acteurs veulent au moins discuter et négocier. Nous utilisons la séquence décrite par C. Dupont (1994, p. 57-61):

— la ritualisation;
— l'information-exploration;
— le développement des mécanismes d'influence;
— le rapprochement et les ajustements;
— la formation de l'accord.

L'étape de ritualisation ressemble assez à l'étape de départ du processus de collaboration avec la distinction que les relations sont plus difficiles, probablement plus opposées, voire carrément antagonistes. Après un certain jeu plus ou moins compliqué (on peut penser à la parade nuptiale de certains oiseaux), les parties conviennent de la négociation.

L'information-exploration permet de réduire l'incertitude et de prendre connaissance de la position globale de chacun des partenaires et donc des enjeux respectifs. C'est là aussi qu'apparaît le rapport de forces. C'est une période parfois longue et complexe, car il faut savoir lire entre les lignes. Il est rare en effet qu'un négociateur dise tout de go ses ambitions. Il les dit sans les dire, soit qu'il grossisse la demande pour avoir moins (comme dans le marchandage), soit qu'il demande A pour obtenir B, soit qu'il cherche simplement à trouver le point de friction des autres parties. Il y a ici un jeu complexe de vérité-mensonge. Il est inconvenant de mentir ouvertement, mais ce l'est tout autant de dire *toute* la vérité. Chaque négociateur ayant son style, sa réputation et sa stratégie, c'est une joute de perspicacité qui permet à chaque négociateur de tâter le terrain et d'entrevoir les axes possibles d'une entente. C'est le moment aussi où un bon médiateur dessine la carte des acteurs et comprend le territoire que ces derniers se disputent.

Le développement des mécanismes d'influence constitue la phase cruciale de la négociation. Il s'agit de convaincre sinon de vaincre. Il faut donc étayer sa propre position, la fonder sur des arguments rigoureux et rationnels, en montrer la cohérence. Il faut aussi répondre aux objections soulevées par les autres et, en revanche, attaquer la position d'autrui dans la mesure où elle contredit nos propres aspirations. Faut-il tout négocier d'un bloc, ou séparer les enjeux et les discuter un par un en commençant par les plus faciles? Qui fera les premières ouvertures? Sans s'engager formellement, on peut inviter à explorer une hypothèse: et si, sans nous engager, nous explorions telle possibilité?

Suit l'étape de rapprochement et d'ajustements. Si l'étape antérieure n'a pas mené à l'impasse ou carrément à l'échec, les parties peuvent alors poursuivre la négociation. On entre dans le jeu des propositions et contre-propositions, des concessions bi ou plurilatérales pour diminuer les écarts et les incertitudes. C'est ici que les options créatives, les novations, peuvent s'avérer fructueuses en permettant des sauts en avant, surtout dans le champ de l'environnement.

La formation de l'accord viendra ensuite. Entre un accord de principe et un accord final, il y a parfois une longue route à parcourir. Les acteurs ont-ils la même compréhension des ententes? Chacun voudrait rajouter ceci et cela, faire une nuance, obtenir une concession. Il suffit de penser aux difficultés de signer un texte à cinq ou dix auteurs pour une cause quelconque pour deviner la complexité d'un ralliement sur un texte unique liant des parties aux intérêts divergents.

Les types de négociation

Le cinéma nous a habitués à deux images du négociateur. Nous connaissons le militant syndicaliste à la figure charismatique, qui parle fort, menace, se fâche, retourne vers ses troupes qu'il harangue et mobilise, puis revient à la table pour arracher le morceau. L'autre figure est celle du joueur de poker dont le visage reste impassible et qui décode le message non verbal de ses adversaires. Dans les deux cas, on insiste sur les traits psychologiques: force de caractère chez l'un, maîtrise de soi chez l'autre. En fait, il n'y a pas de portrait type idéal du négociateur: chacun l'est selon sa nature profonde, sa culture, ses expériences antérieures et la valeur de la cause qu'il défend. On trouvera chez Dupont (1994) un bon survol de la formation dispensée dans certains milieux et les théories qui la sous-tendent.

Au plan du type de négociation, on distingue la négociation à tendance distributive ou conflictuelle et celle à tendance intégrative que Fisher et Ury dénomment raisonnée *(principles oriented)*. La négociation distributive conçoit la négociation comme un affrontement poli («la politique est une guerre sans effusion de sang, la guerre est une politique avec effusion de sang», disait Mao), une manœuvre pour gagner contre un adversaire. L'idéal est presque de vaincre, sans toutefois user de violence. Vaincre sans écraser. On parle de situation gagnant-perdant, dans un jeu à somme zéro, où les gains de l'un correspondent aux pertes de l'autre. Ici la composante conflictuelle est donc importante et suppose l'affirmation de son propre pouvoir. La négociation reste marquée par le stress et la méfiance, souvent à la limite de la rupture. Ce qui prévaut, c'est l'affirmation du pouvoir d'un côté, et la force de nuisance ou de représailles de l'autre. Sur ce point, Konrad Lorenz (1962) faisait l'observation qu'un animal réputé doux et faible comme la colombe se révèle cruel en certaines circonstances alors que dans un combat entre loups, le vainqueur ne tue jamais l'adversaire qui lui montre des signes de soumission. «Il est hautement vraisemblable que le développement des armes, chez les bêtes de proie, a été accompagné par une discipline parallèle de leur emploi.» Dans le combat humain, nous savons que la violence existe fréquemment et que les codes biologiques qui inhibent l'agressivité sont déficients. Dans la négociation même distributive, il existe des limites à la victoire. On ne doit jamais faire perdre la face ou l'honneur à l'adversaire.

L'autre tendance est la négociation intégrative. Sans abdiquer ses intérêts, il s'agit moins de vaincre un adversaire que de convaincre un partenaire de la justesse de son propre point de vue. La vision consiste donc à coopérer avec les autres partenaires pour parvenir à une solution avantageuse à toutes les parties. D'où l'importance des exercices de créativité et de novation qui font émerger de nouveaux possibles. Au lieu de défendre avec acharnement sa part du gâteau, y a-t-il moyen de faire un gâteau plus gros qui profite à l'ensemble? En environnement, nous pensons que cette situation se présente plus souvent que son contraire, car la prise en compte sérieuse de l'environnement oblige à repenser les solutions anciennes. Combien d'entreprises, par exemple, ont, pour corriger des problèmes de pollution, été obligées de repenser entièrement leur système de production réalisant du coup des gains substantiels et découvrant des marchés nouveaux? Les conseils de Fisher et Ury sur la négociation raisonnée, invitant à bien distinguer les personnes des problèmes, à considérer les intérêts et non les positions, à explorer plusieurs solutions et à définir des critères objectifs de décision, se situent dans le cadre de la négociation intégrative. Leur opinion reste controversée et peut-être exagérément optimiste.

En pratique, il y a rarement une négociation purement distributive et une négociation purement intégrative. Il y a l'une et l'autre. D'où la nécessité de la confiance et de la méfiance, de la lutte et de la collaboration. Même dans une négociation dure, il nous semble essentiel de ne jamais faire perdre la face à autrui, de lui permettre de sauver l'honneur, de ne pas le pousser à l'absurde. Un adversaire coincé dans une situation sans issue risque de sombrer dans ce que nous appelons le complexe de Samson. Trahi par Dalila, rendu aveugle et forcé de tourner la meule, Samson n'est plus qu'un objet de risée pour les Philistins. À la fête du temple où on l'humilie et l'exhibe à la foule, il retrouve sa foi et sa force, puis renverse les colonnes du temple. Il préfère se suicider en faisant mourir des milliers d'ennemis. Un adversaire poussé à bout dans une situation sans issue peut devenir dangereux. Même vidé de son pouvoir, il peut encore nuire. Dans une négociation intégrative, le négociateur doit faire preuve d'ouverture, mais aussi toujours garder en vue les objectifs et les intérêts de la partie qu'il représente. Les tensions en environnement sont là pour rester et les distances demeurent et demeureront immenses entre les acteurs. Les périodes de bonne entente facile ne sont que des trèves annonçant le déplacement du débat. Le temps n'est pas à l'euphorie ni à la naïveté.

Importance de la MESORE

Quand on entre dans une négociation, on doit faire un choix préliminaire: négocier ou refuser de négocier. Invitée à faire partie d'une commission fédérale sur l'énergie nucléaire, Ursula Franklin, la grande universitaire de Toronto, refusa l'offre qu'on lui faisait, de crainte que sa participation ne contribue à légitimer une option qu'elle récusait dans sa globalité (Franklin 1995). On ne négocie pas si on pense qu'on y perdra trop. Il faut donc établir pour soi-même le seuil en deça duquel il n'est plus avantageux (idéologiquement, financièrement, stratégiquement) de le faire. Cette mesure limite a reçu en anglais le terme de BATNA: *Best Alternative to a Negotiated Agreement,* traduit en français par MESORE, meilleure solution de repli. Dupont (1994: 63) préfère la formule 3A (Alternative en cas d'Absence d'Acccord). La MESORE n'est pas l'objectif visé mais le seuil en deçà duquel il n'y a plus de plage de négociation. Prenons un exemple du domaine commercial. Vous voulez vendre votre maison et en acheter une nouvelle. Vous voudriez vendre entre 85 000 $ et 110 000 $, mais ne sauriez d'aucune manière accepter moins de 70 000 $. Ça ne vaudrait pas la peine. Dans une négociation avec un acheteur, votre MESORE serait donc de 70 000 $ alors que vous seriez satisfait de vendre 90 000 $. Mais la situation peut évoluer. Emballé par la perspective du déménagement, vous achetez votre future résidence au prix de 150 000 $, en oubliant d'inscrire au contrat, comme condition d'achat, la vente de votre première maison. Les mois passent, vous aménagez dans la nouvelle maison, mais l'ancienne vous pèse. Coincé par les soucis, les frais des deux maisons et le poids d'hypothèques trop lourdes, pris dans un marché difficile plus favorable aux acheteurs qu'aux vendeurs, il est possible que vous deviez céder votre première demeure à 60 000 $, en deçà de votre MESORE originelle. C'est que vous vous êtes piégé vous-même et mis dans l'incapacité de négocier librement.

En pratique, la qualité d'une négociation dépend beaucoup de la qualité de sa préparation. Il faut donc établir sa MESORE, fixer ses propres objectifs à atteindre, analyser les enjeux du dossier, décoder la position des autres parties, être prêt à des alliances stratégiques avec l'une ou l'autre des parties, continuer d'exercer de la pression sur les autres parties, imaginer des scénarios de rechange si la stratégie utilisée ne fonctionne pas, être proactif plutôt que réactif, etc. Une négociation est certes pleine d'imprévus. Mais il serait imprudent de s'y lancer à l'improviste et de se contenter d'improviser. En ce sens, il est parfaitement légitime dans la négociation de parler à la fois de science et d'art: une science complexe incluant des éléments de psychologie, de sociologie, d'analyse stratégique, d'analyse des processus de décision, d'animation, et un art longuement cultivé dans la fréquentation de ses semblables.

Chapitre VIII

La médiation

> «L'action collective s'appuie fondamentalement sur l'utilisation de la contrainte ou de la force et du marchandage. La gestion des conflits et la solution des litiges utilisent diverses méthodes dosant différemment la contrainte et le marchandage, Dans les conflits touchant l'environnement, la société américaine a privilégié le recours à l'autorité judiciaire. Cette méthode n'a pas donné satisfaction dans la mesure où les motifs qui peuvent fonder un recours juridique ne permettent pas aux parties de traiter de leurs principaux intérêts et partant, de convenir d'un accommodement mutuellement satisfaisant. Pour cette raison, les parties engagées dans de tels conflits se tournent de plus en plus vers de nouvelles formes de gestion des conflits comme la négociation et ce qui peut la faciliter: la médiation.»
> (Roy, Dumas, Poirier 1986, 1)

Notre époque connaît une inflation juridique spectaculaire avec un recul net du Droit au sens noble du terme — le Droit proche de l'éthique, comme guide du Juste et le Droit de la longue durée historique (cf.de Jouvenel 1948) — au profit d'une prolifération de lois et de textes à valeur juridique si nombreux et, parfois, d'une durée si courte que l'adage «nul n'est censé ignorer la loi» n'a plus guère de sens. Jean Carbonnier parle de 1250 lois et 1308 décrets en France pour la seule année 1978. Aux États-Unis, il y avait, en 1987, un avocat pour 370 personnes, au Québec, 1 pour 570, alors qu'au Japon, il y en aurait 1 pour 10 300. Les pays arabes auraient également un ratio d'avocats très faible (J. Dufresne 1987).

Cette prolifération du droit, surtout aux États-Unis, conduit directement à un engorgement du système judiciaire avec les conséquences prévisibles: délais très longs, coûts exorbitants, antagonisation des acteurs, décisions douteuses dans des domaines d'incertitude scientifique, absence de prise sur le vécu réel. Aux États-Unis, les réclamations de plus en plus élevées reliées à la revendication pour les droits bouleversent profondément le monde de l'assurance et de la vie professionnelle. Il n'est pas rare que des conflits qui, traditionnellement, se réglaient par des mécanismes locaux de justice populaire soient de plus en plus déférés à des tribunaux qui finissent par renforcer «l'iniquité sous prétexte de neutralité» (Anerback, in Dufresne 1987: 54).

Dans le domaine de l'environnement, différents facteurs ont convaincu les acteurs de chercher à régler les conflits et les controverses par d'autres types de processus que les recours aux tribunaux. Facteurs extrinsèques: délais, coûts, antagonisation des acteurs. Facteurs intrinsèques: complexité de l'environnement et difficulté de juger de manière péremptoire dans un domaine où l'incertitude est si grande et les instruments de mesure parfois déficients.

Vers des solutions de rechange

C'est donc tout le contexte d'inflation du droit et d'un excès de litiges devant les tribunaux qui sous-tend la recherche de solutions de rechange au règlement des conflits. C'est ainsi que l'on rend en français l'expression «Alternative Dispute Resolution». Certains préfèrent le mot litige à celui de conflit. Même en anglais, le terme reste vague «Alternative to what? What do we mean by a Dispute?» (Georges Applebey, in Samson et McBride 1993: 27). La base des ADR est moins axiologique que pragmatique. Les buts sont simples: économiser du temps et de l'argent, favoriser l'implication de la communauté, faciliter l'accès à la justice et résoudre les conflits de manière plus efficace. Les solutions de rechange au règlement des conflits ne sont pas le fruit d'un arrêt de la cour, d'un tribunal, ou d'une prise de décision administrative. Elles ne sont pas non plus un règlement sans principe. Les ADR sont un effort pour solutionner des conflits sans passer par le système proprement judiciaire. Les formules utilisées prennent place dans un spectre très large qui va de l'arbitrage non contraignant (dans le domaine commercial surtout, on parle de mini-procès, de jurys etc.) où l'expertise de type juridique joue un rôle important jusqu'à des formules plutôt collaboratives qui font appel à la participation des parties concernées pour trouver une solution convenable, un arrangement. Ni tribunal, ni négociations privées, les solutions de rechange sont à mi-chemin et font appel à la confiance des parties plus qu'à leur adversité. Les opposants aux ADR prétendent que le résultat global tend à confirmer le pouvoir des forts au mépris de celui des faibles, surtout si l'autorité exerce une pression (Applebey, in Samson et McBride 1993: 31). Il n'y a rien de parfait. Nous pensons, pour notre part, que les ADR favorisent la mise en place de solutions adaptatives.

Aux État-Unis, l'engouement pour les ADR est très vif. On donne même des cours et des sessions de formation à la résolution des conflits dans les écoles secondaires afin de former des médiateurs *(Conflict Managers)* et aider ainsi les adolescents à régler pacifiquement leurs conflits. Jean François Six, dont le ton polémique étonne pour un écrivain qui s'intéresse à la gestion des conflits, peste vertement contre ce type d'expérience. Il laisse flotter l'hypothèse d'une démarche insuffisamment rigoureuse dans la sélection des médiateurs, «ce qui risque d'amener, pour cette tâche, de petits caïds, sinon de petits chefs de bande» (Six 1995: 88-89). Le reproche est caricatural, d'autant plus que le contexte scolaire américain ne ressemble guère au contexte scolaire français. Plus largement, les ADR deviennent de nouveaux outils sociaux susceptibles d'assurer le déblocage de la société dans différents domaines: affaires, famille, école, ville. Le secteur communautaire, celui du voisinage, du quartier, de la ville occupe une place de choix pour l'expérimentation de nouveaux modèles de vie commune, tels que le promeut le «Community Movement» (Shaffer et Anudsen 1993) dans des processus sans cesse remaniés pour susciter la créativité, favoriser la communication, gérer les conflits. Les publications venant de milieux spécialisés comme le Harvard Public Disputes Program du MIT qui publie le journal *Consensus*, l'association SPIDR (Society of Professionnals in Dispute Resolution) qui publie un périodique du même nom, l'IAP3 (International Association of Public Participation Practionners) qui publie un bulletin *Interact*, ne cessent de recenser des secteurs nouveaux où les ADR sont mis en œuvre: le dialogue avec les Amérindiens, la fermeture d'une base militaire, le refus d'objecteurs de conscience de collaborer à la circoncision, la gestion d'un bassin de rivière, le déménagement d'un centre hospitalier.

Les processus mis en œuvre se ressemblent, malgré des structurations légèrement différentes, puisque chaque auteur adapte la méthode à sa façon de sentir et d'intervenir. Il y a certainement en cela un effet de mode, qui fait penser à la dynamique des groupes dans les années soixante ou à l'animation dans les années soixante-dix. Dans le monde turbulent des réalités sociales, il y a un surgissement d'expériences et de méthodes qui permettent de corriger certaines dysfonctions sociales. Il y aura certes des ratés et une saturation. Néanmoins, si l'appareil judiciaire n'arrive plus à bien jouer son rôle, les pistes nouvelles qui se présentent constituent une chance, une opportunité, comme si un espace nouveau s'ouvrait dans la société pour permettre des déblocages. Dans l'effet de mode, il y a, bien sûr, des marchés nouveaux pour des acteurs en phase de recyclage: avocats, communicateurs, animateurs, psychologues, thérapeutes, travailleurs sociaux. Déjà commence le processus d'institutionnalisation, surtout pour la formation du médiateur et la mise en place de son statut et de ses obligations. Après les «radical sixties» et l'insistance sur les conflits, voire sur la révolution, les ADR semblent se situer davantage du côté des fonctions d'intégration et de cohésion sociale. En attendant la prochaine crise....

Peut-on éliminer les conflits ?

Dans certains courants de pensée sous-jacents aux ADR, il y a probablement une propension à résoudre le conflit plus qu'à le gérer, dans une espèce d'utopie qui annoncerait la fin du conflit. Dans certaines composantes du courant écologiste, il y a une mystique de la fusion qui incite à voir la planète comme une communauté: «simplement en imaginant la possibilité d'une communauté planétaire, vous avez déjà réalisé le changement» (Shaffer et Amundsen 1993: 325). La théorie de Fisher et Ury sur la négociation raisonnée propose de gérer le conflit par l'identification et la poursuite des intérêts, ce qui laisse entrevoir qu'en certains cas, le conflit ne peut se résoudre lorsque les intérêts sont irréconciliables. Larry Susskind répète volontiers que les questions constitutionnelles et les débats sur les convictions ne peuvent se résoudre par des ADR. Il existe des conflits qui ne peuvent être résolus, avec lesquels il faut vivre. Il existe également des rapports de force qui ne se dénouent pas vraiment et pour lesquels l'épreuve de force s'impose: bagarre, grève, guerre, insurrection. Alors, le vainqueur — le plus fort ou le plus astucieux — impose son ordre qui se légitime par sa persistance même. C'est dommage, mais c'est ainsi.

En un sens, les conflits ne sont jamais dénoués. Ils sont surmontés, intégrés, assumés. Mais ils referont surface à la prochaine occasion. Dans son style un peu bagarreur, Jean-François Six s'oppose énergiquement à concevoir la médiation uniquement comme une méthode de résolution de conflits. Six craint qu'une telle perspective développe la nostalgie d'une société sans conflits ou d'une société qui refuserait le conflit et qui, pour l'éviter, deviendrait unitaire, totalitaire. «La tendresse peut être, elle aussi, totalitaire» (Six 1990: 156). «Le conflit en lui-même est une réalité utile. L'essentiel est donc de l'empêcher de s'enliser, de faire en sorte que la violence ne s'y introduise pas» *(ibid.*, 157). Six cite volontiers Hanna Arendt marquée par l'expérience nazie. Les sociétés unanimitaires sont facilement intolérantes, à l'opposé donc de la collaboration et de la négociation.

Six insiste pour présenter le conflit «comme passage et ouverture, comme dynamique possible de développement, comme capacité de susciter une issue nouvelle, un ordre nouveau» (p. 161). Dans sa lancée, il ne récuse pas l'idée que la médiation puisse résoudre les conflits. Cela, il l'accepte volontiers. Mais il cherche à nier qu'elle ne serve qu'à cela, ou que cela la définisse essentiellement. Il veut aussi qu'elle prévienne le conflit. À ses yeux, il existe quatre sortes de médiations: créatrice, rénovatrice, préventive, curatrice (*ibid.*, p. 164; voir aussi Guillaume - Hofnung 1995: 71-74). Le présent chapitre explore la médiation curatrice, celle qui vise à gérer le conflit.

La médiation

Le propre de gens en conflit, c'est souvent de ne plus pouvoir se parler. Le conflit se caractérise d'abord par une rupture de communication. Lorsque le conflit surgit entre deux groupes, on observe une chute radicale de communication entre les deux groupes, mais une intensification des communications à l'intérieur de chaque groupe. Chaque groupe fait corps et refait sa cohésion pour s'opposer à l'autre. C'est en se basant sur ce phénomène que les chefs d'État se servent des conflits avec d'autres pays pour refaire leur image et leur popularité à l'intérieur de leur propre pays. Entre des groupes en conflit, la communication interne augmente et la communication externe disparaît. Pour dénouer un conflit, il est donc souvent essentiel de recourir à une partie extérieure aux belligérants pour permettre aux adversaires de redevenir capables de communiquer, sans perdre la face ni paraître faire les premiers pas. Cette personne peut recevoir un mandat plus ou moins important: conciliateur, *facilitateur*, médiateur, arbitre. Seuls l'arbitre et le médiateur sont obligatoirement des tiers. Ne retenons que les figures du *facilitateur* et du *médiateur*, l'arbitre constituant un autre jeu de figure qui renvoie au juge. Le mot conciliateur est surtout utilisé dans les conflits de travail, son intervention étant prévue par la loi à des moments stratégiques.

Mais il existe des conciliations sans conciliateur: négociation et conciliation peuvent faire l'économie du tiers (Guillaume - Hofnung 1995: 75), les parties parvenant alors à se parler directement. Le *facilitateur* joue un rôle plutôt effacé. Il crée l'environnement propice aux échanges, assure le bon ordre des rencontres et la qualité du dialogue. Il peut faciliter la compréhension mutuelle. Mais il n'a pas de rôle directement actif. Il se contente, comme on dit, de gérer le trafic sans exercer de pression sur les partenaires. Il arrive même que le *facilitateur* ne soit pas un tiers, mais une des parties désignées. Parfois même, les parties assument cette fonction à tour de rôle.

Le *médiateur*, pour sa part, reçoit un mandat plus large que la facilitation, même s'il y a controverse entre les auteurs et les praticiens sur l'ampleur des tâches qu'il peut assumer. Sans se substituer aux parties, il favorise l'interaction des parties, peut et, souvent, doit rencontrer les parties isolément ou en coalition, transmet les messages des uns aux autres et peut prendre une part active à l'élaboration de l'arrangement. Il peut suggérer des méthodes de travail pour favoriser la créativité et l'émergence d'idées nouvelles. Il peut «encourager les parties à mieux définir les problèmes ou les questions en cause dans le conflit, expliquer clairement aux diverses parties les demandes des adversaires, aider les participants à évaluer les conséquences de leur stratégie» (Roy, Dumas, Poirier 1986: 21). Il peut rédiger les ententes ou même inviter les parties à explorer certaines avenues possibles. Le médiateur structure le travail de façon à permettre aux parties de trouver un arrangement si vraiment elles en ont la volonté. Selon sa personnalité, son expérience, son charisme, il peut même se confronter au groupe et nommer les blocages du groupe (Folberg et Taylor 1984). Selon les écoles et les thèses, sa marge de jeu variera ainsi que les références éthiques dans lesquelles il doit s'inscrire.

Parmi les nombreuses définitions de la médiation, on peut se référer à la suivante. Il s'agit d'une «action accomplie par un tiers, entre des personnes ou des groupes qui y consentent librement, y participent et auxquels appartiendra la décision finale, destinée soit à faire naître ou renaître entre eux des relations nouvelles, soit à prévenir ou guérir entre eux des relations perturbées» (Six 1990: 165).

Quant aux étapes parcourues par la médiation, elles recoupent sensiblement les moments clés suggérés pour la collaboration et la résolution de conflit puisqu'au fond la médiation est une négociation assistée. Une fois le médiateur accepté et convenues les règles de procédure, la médiation commence en général par une série de rencontres bilatérales du médiateur avec les parties, puis par des séances de travail commun visant à identifier le problème, les enjeux et les solutions possibles (pour la procédure fédérale, voir les étapes de la médiation dans Beauchamp, Roy, Saddler 1993: 45-48). À mesure que le travail progresse, que les questions se clarifient et que les zones de consensus et de dissensus apparaissent, le médiateur aide les parties à cheminer vers un accord commun à moins qu'on aboutisse à l'échec de la médiation. S'il y a échec, les parties peuvent décider ou non de dire quelles sont leurs zones d'entente et de mésentente. Il n'appartient pas au médiateur de le faire à moins que les parties ne l'autorisent.

Les règles d'éthique du médiateur

En tant que tiers, le médiateur, comme le juge, est soumis à des règles très contraignantes, particulièrement en ce qui touche la neutralité. Mais alors que le juge doit exercer sa fonction en se tenant constamment à distance et en respectant la lettre de règles rigides, le médiateur au contraire jouit d'une marge de manœuvre considérable. SPIDR a adopté des «standards éthiques de responsabilité professionnelle» pour ses membres. Les tiers «neutres ont un devoir à l'égard des parties, de la profession et d'eux-mêmes. Ils doivent être honnêtes et sans biais, agir de bonne foi, être diligents et ne pas chercher à mettre de l'avant leurs propres intérêts au détriment des parties». Le texte précise les responsabilités à l'égard des parties, les intérêts de tiers non représentés, l'usage de procédures multiples et d'autres considérations sur les honoraires professionnels et la présence de plus d'un médiateur, etc. À l'égard des parties, le texte précise six responsabilités: l'impartialité, l'obligation de s'assurer de la compréhension des parties avant leur consentement, la confidentialité qui doit être stricte (si elle ne l'est pas, il doit en aviser les parties), les conflits d'intérêts, le devoir de mener la médiation le plus rapidement possible, et l'obligation de vérifier la validité de l'accord final de sorte que les ententes ne portent pas atteinte à l'intégrité du processus suivi.

En France, le Centre national de la médiation (CNM) a publié une charte de la médiation qui comprend 17 paragraphes et qui définit la médiation dans des termes très substantiels, plus philosophiques que juridiques. Par exemple, la médiation est un agir communicationnel, elle est une victoire sur l'antagonisme, elle est un non-pouvoir. Le CNM a aussi un code de la médiation qui rappelle que le médiateur a une obligation de moyens et non de résultats. Aux articles 19 et suivants, sont définis les devoirs du médiateur: devoir d'information (qui recoupe le devoir de s'assurer de la compréhension des parties de SPIDR), devoir d'indépendance (le médiateur doit être libre de toute inféodation et les parties être libres à son égard), devoir de neutralité, exigence de secret professionnel (Six 1995: 265-280).

Malgré leurs différences d'approches et de styles, les exigences posées aux médiateurs en France et aux États-Unis se ressemblent beaucoup. Le médiateur est un tiers neutre, qui ne prend pas partie, mais qui doit aider les parties à s'entendre. Il ne doit pas avoir de conflit d'intérêts, ni laisser traîner la médiation en vue d'honoraires plus élevés. Il a le droit d'être payé. Mais ce droit ne doit pas entraver sa tâche. Le code français est sur ce point très explicite: «le lien de subordination existant entre le médiateur salarié et son employeur porte uniquement sur les conditions matérielles dans lesquelles le médiateur exerce son art au sein d'un service organisé et en aucun cas sur l'accomplissement même des actes de médiation». On retrouve les mêmes concepts apparentés dans le Code de déontologie de l'Institut d'arbitrage et de médiation du Canada Inc. (Poitras, Patoine et alii 1995). Les questions abordées sont les mêmes: l'évitement des conduites inconvenantes, l'intégrité et l'équité des procédures, le devoir d'information, la compétence, etc. Par ailleurs, l'applicabilité du même code en arbitrage et en médiation laisse songeur, car un médiateur qui se perçoit comme un arbitre n'aidera pas beaucoup les parties à trouver un terrain d'entente.

Métier difficile et complexe que celui de médiateur, qui ne repose pas sur des situations rigides et claires. Par exemple, le juge ne peut parler aux parties en dehors du tribunal. Le médiateur, au contraire, peut et doit souvent le faire pour comprendre, expliquer, explorer. Sa neutralité est plus exposée et demande, de ce fait, plus de profondeur psychique.

La médiation en environnement au Québec

La médiation en environnement au Québec en est encore à l'état embryonnaire. Nous avons connu, depuis quelques années, un bon nombre de processus apparentés à des processus de collaboration ou proches des ADR. Nous avons fait état de la Table de consultation sur l'énergie. Dans le cadre de la gestion intégrée des déchets pour l'Ile de Montréal, Louise Roy a dirigé avec succès un travail de collaboration très rigoureux pour établir, avec toutes les parties concernées, les objectifs à atteindre dans le domaine des 3R (réduction à la source, réemploi, récupération-recyclage). D'autres processus intéressants ont eu lieu, par exemple dans la recherche d'une solution pour l'élimination des BPC. La médiation demeure davantage un vœu, une perspective à explorer qu'un lieu d'expériences nouvelles. Au reste, la loi relative à la qualité de l'environnement ne reconnaît pas un statut à la médiation et n'en fixe donc pas les paramètres. Il n'y a pas encore d'association de médiateurs en environnement, ni d'équivalent au Centre national de la médiation de France, bien que, dans de nombreux secteurs, il y ait une pratique et un encadrement de processus de médiation, par exemple dans le secteur de la famille et des accidents de travail.

En environnement, le statut de médiateur n'existe pas encore. Il n'y a pas non plus de code de pratique ni de règles de déontologie reconnus. Il existe toutefois une pratique en ce sens, mise en place au Bureau d'audiences publiques sur l'environnement depuis 1984. Comme une audience est une grosse opération (qui dure quatre mois et coûte aujourd'hui environ 250 000 $ au BAPE et certainement autant au promoteur) et qu'il n'est pas toujours évident qu'il faille toute cette machine pour solutionner un litige, le BAPE avait suggéré au ministre, dans le cas où l'opposition du demandeur d'audience ne semble pas porter sur la raison d'être du projet, de mandater le Bureau à tenir une enquête pour vérifier les possibilités d'entente ou de conciliation des points de vue. Si, pendant une courte période d'enquête menée sous le signe de la conciliation, le demandeur d'audience obtient réponse à ses questions et satisfaction à ses exigences légitimes, il retire sa demande d'audience et le projet peut aller de l'avant.

C'est ainsi que, depuis ce temps, le BAPE est appelé parfois à réaliser des mandats de médiation dans les dossiers soumis à la procédure d'évaluation et d'examen des impacts. Si la requête semble porter davantage sur des modalités que sur la raison d'être, le ministre confiera d'abord un mandat de médiation et, si cette dernière réussit, l'étude du dossier se poursuivra. Si la médiation échoue, le dossier ira en audience publique. Le BAPE a mené avec succès de nombreux mandats d'enquête sous forme de médiation, particulièrement dans des dossiers où le ministère du Transport agit comme promoteur. Les fonctionnaires de ce ministère sont de fameux négociateurs.

Dans un article important, Pierre Renaud, commissaire au BAPE, fait le bilan des expériences de médiation pour le BAPE (Poitras, Patoine et *alii* 1995: 117-137). Il rappelle que le mandat de médiation du ministre s'inscrit dans un mandat d'enquête et que, dans ce cas, la médiation est la manière de mener l'enquête. Renaud parle d'une procédure en six volets: période d'information au moment où l'étude d'impact est rendue publique et demande d'audience de requérants (Renaud parle de demande de médiation ou d'audience, mais la loi ne prévoit pas encore de médiation); analyse par le ministre et décision d'accorder l'enquête avec médiation ou audience; médiation proprement dite; rapport public de l'enquêteur-médiateur; recommandation du Ministre au Conseil des ministres; décision finale. Dans le volet propre de la médiation, Renaud distingue trois phases: la phase informative, la phase d'analyse et de consentement à la médiation et la phase de la médiation proprement dite qui consiste dans la recherche d'une solution satisfaisante. Renaud signale qu'en cas d'entente, le requérant retire sa demande d'audience. Il ne dit pas ce qu'il arrive si la médiation échoue. On a l'impression sur ce point que Renaud s'aligne sur la loi 51, votée mais jamais promulguée qui donnait au ministre la discrétion d'accorder la médiation ou l'audience et de décider sans recourir à l'audience en cas d'échec de la médiation. Il est possible que son texte soit un peu décalé sur ce point.

Malheureusement, Renaud glisse un peu vite sur d'autres points beaucoup plus cruciaux. Par exemple, il n'évoque que la seule présence des requérants comme parties à la négociation avec le promoteur. Or, c'est une règle de l'art que toutes les parties importantes au dossier (qui ont un intérêt ou un pouvoir) soient présentes. Comme ces parties seraient à l'audience publique s'il y avait audience, qu'elles soient requérantes ou pas, elles devraient être aussi à la médiation. Il faudrait donc prévoir un processus d'inscription d'autres parties ayant un intérêt au dossier comme cela est prévu dans la procédure fédérale. Il y a eu des cas où des ONG ont demandé de siéger comme parties à des médiations sans avoir le statut de requérants d'audience. Cela leur a été refusé.

Renaud se réjouit du fait que le médiateur soit aussi un commissaire disposant du pouvoir d'enquête. Il y voit une garantie du caractère public et transparent de la médiation. Or, la médiation est essentiellement un processus volontaire. Donner au médiateur un pouvoir d'enquête, c'est inscrire la médiation dans l'arbitrage: une démarche plutôt insolite pour ne pas dire contradictoire. Considérer la médiation comme une méthode d'enquête, un peu comme l'audience est également une méthode d'enquête, n'est-ce pas dévier la médiation de son sens? Comme le répète Six, la médiation est un non-pouvoir. Plus encore, Renaud indique que «les rencontres sont prises en sténotypie et les transcriptions accessibles au public.» Selon nous, la médiation doit être d'abord un processus de mise en confiance et la confidentialité est la première règle de cette confiance. Il est de règle que le médiateur doit s'assurer du respect de la loi et de l'intérêt public, voire même que le droit d'autres tiers ne soit pas lésé. D'où une raison de plus d'inviter d'autre parties à la médiation afin que tout l'intérêt public soit représenté. C'est précisément le rôle du ministère de l'Environnement présent à la médiation de surveiller le respect de la loi et de l'intérêt public. La prise des échanges en sténotypie nous apparaît de nature à nuire au climat du travail. Par bonheur, Renaud évoque aussi la possibilité de comptes rendus au lieu de sténotypie. Il ne précise pas si ces comptes rendus sont d'abord acceptés par tous les participants avant d'être rendus publics. Si la médiation réussit, son résultat sera nécessairement public. Si elle échoue, il ne faut pas que les parties souffrent des démarches de confiance qu'elles ont consenties.

Dans la procédure appliquée par le BAPE, quel que soit le résultat de son enquête-médiation, le commissaire rédige un rapport rendu public. Si la médiation a réussi, cela ne pose pas de problème. Si la médiation a échoué, Renaud ne dit rien des règles à suivre pour respecter la confidentialité de la position des parties, point crucial de la crédibilité du médiateur et de son acceptabilité par les parties dans d'autres négociations. Enfin, la lecture d'une transcription de médiation nous dévoile le soin pris par le commissaire enquêteur à avertir les parties de ne pas communiquer entre elles en dehors des rencontres de médiation, parce que la médiation s'inscrit dans une enquête. Ce scrupule nous surprend puisqu'au contraire, la médiation cherche à aider les parties à se parler et à se comprendre. Tant mieux si les parties se parlent. La prudence du BAPE vise sans doute à empêcher des tractations douteuses entre les parties (compensations financières secrètes, etc.). Nous pensons que ce risque existe surtout parce qu'on n'invite que le demandeur d'audience et non pas toutes les parties concernées, requérantes ou non.

Renaud conclut que «la médiation au BAPE n'a donc pas été transplantée, mais résulte plutôt d'une lente maturation. De plus, l'assise légale du processus lui confère un cadre formel unique et quasiment obligatoire, puisque le ministre peut enclencher une enquête et une médiation. Enfin, il s'agit du premier processus de médiation d'ordre public intégré à une structure administrative gouvernementale. La médiation au BAPE diffère donc du processus traditionnellement utilisé dans le secteur privé» (ibid: 136).

À notre avis, une médiation de ce type n'est plus une médiation, mais un *tertium quid* entre l'arbitrage et la facilitation qui rate le meilleur de la médiation. Dans la conjoncture de la procédure d'évaluation d'impacts, il était important que la médiation émerge, et la seule place où cela pouvait survenir c'était au BAPE. Mais maintenant que l'on a une meilleure intuition de ce que la médiation peut donner, il faut laisser le BAPE faire ce qu'il fait bien, c'est-à-dire l'enquête par le moyen de l'audience publique sur des projets. Il faut éviter la confusion de la médiation avec l'arbitrage et donc sortir la médiation du BAPE en lui donnant tout l'espace qu'elle peut occuper. Il faut évidemment donner un statut légal à la médiation et lui fixer un encadrement: processus, code de pratiques, code d'éthique, etc. Il convient surtout d'élargir et d'assouplir la médiation, de la rendre possible à d'autres moments de l'étude d'impact, par exemple au moment de la directive et du *scoping*. Les médiateurs doivent être choisis non pas parce qu'ils sont commissaires au BAPE, mais pour leur compétence et le fait que les parties les acceptent. Ce qui suppose évidemment un processus d'homologation du statut de médiateur en environnement, ce qui entraînera un processus d'institutionnalisation. Il faudra d'abord prévoir la création d'un petit groupe mandaté, lequel statuera pour la reconnaissance des premiers médiateurs agréés, puis conviendra, avec une ou plusieurs institutions universitaires, du curriculum à suivre pour assumer cette tâche.

La contribution du BAPE pendant plus de 10 ans aura été, en ce sens, fort opportune. L'intervention de Renaud s'inscrivait dans une stratégie du BAPE pour se faire confirmer dans sa mission de médiation. Si on peut comprendre que l'institution veuille se protéger et grandir, il est permis de penser qu'au contraire, la médiation y gagnera en qualité en ne s'institutionnalisant pas de cette façon. En dégageant la médiation du BAPE, on la percevra mieux dans sa valeur intrinsèque plutôt que comme une audience à rabais. Le résultat de la médiation n'est pas d'abord de faire vite à moindre coût. Il s'agit d'assurer une communication plus intense et plus riche entre les parties, de mener à de meilleures décisions et d'assurer que l'implantation des projets tienne compte au maximum des attentes du milieu.

La formation du médiateur

Nous avons évoqué à plusieurs reprises le risque de l'effet de mode en médiation. La médiation est en demande. Et comme les emplois sont rares, il y a risque d'un surgissement de médiateurs tous azimuts. Antaki (Poitras, Patoine et alii 1995: 155-177) signale le risque de judiciarisation rapide de ce secteur et donc d'une invasion d'avocats et de juristes alors que la médiation comme outil de résolution de conflits vise précisément à éviter le recours judiciaire!

> «La médiation est un champ d'activité nouveau de nature pluridisciplinaire qui n'appartient à aucune profession en exclusivité et qui doit être enseigné de manière à sauvegarder cette particularité. Il est fondamental que les cours de formation soient le fruit d'une réflexion et d'un travail collectif de médiateurs de disciplines différentes. Il faut à tout prix y intégrer des modalités pour la médiation à distance qui sera utile pour la pratique en mode virtuel.
>
> «Un autre danger est à éviter. La médiation est aujourd'hui enseignée par un nombre limité de personnes prêtes à partager leurs connaissances et leur savoir-faire. On doit les remercier d'être les premières sur le chantier plutôt que de les blâmer. Ce manque de ressources cache cependant un danger. La doctrine enseignée risque de se transformer en dogme, surtout si elle trouve son chemin vers les Codes de déontologie. À titre d'exemple, certains préfèrent rencontrer les parties en caucus très tôt, d'autres à un stade avancé quand une dernière catégorie se sent plus à l'aise dans des séances plénières. Il serait désastreux qu'une seule de ces tendances prenne le dessus. Dans un autre ordre d'idées, la petite communauté est partagée entre ceux qui conseillent aux médiateurs de rédiger le projet d'entente et ceux qui leur demandent de laisser la tâche aux parties. L'élargissement du cercle par l'écoulement du temps et l'augmentation du nombre des expériences éliminera ce risque à la condition que le particularisme de certains programmes publics ne déteigne sur l'ensemble de la discipline. (Nobil N. Antaki in Poitras, Patoine et alii 1994: 176)

La formation américaine insiste beaucoup sur les jeux de rôle, les exercices pratiques, les méthodologies de créativité et les analyses et évaluations à l'aide d'ordinateur. Il se donne également beaucoup de sessions intensives allant de deux jours à deux semaines qui permettent à des intervenants en animation, en communication, en participation publique de développer des habiletés proches de la médiation. À Paris, au contraire, l'Institut de Formation à la Médiation exige un cours de deux ans, insistant sur une formation de généraliste et sur la maturité des personnes. Il s'agit davantage de former la personne en profondeur que de développer des habiletés tactiques: formation personnelle et apprentissage de soi avec autrui, en groupe; formation théorique (psychologie, droit et éthique); formation pratique (Six 1995: 237-263 surtout 255-260).

Pour notre part, sans négliger l'importance de la formation fondamentale et pratique, nous pensons que beaucoup de choses s'apprennent par l'expérience, dans de petits dossiers banals, puis dans des dossiers plus complexes. C'est là que le savoir s'intègre et se raffine. La médiation en environnement ouvre un horizon nouveau qui exige, particulièrement dans les entreprises et les fonctions publiques (fédérale, provinciale, municipale), un effort systématique de formation du personnel. Au pouvoir un peu discrétionnaire de la fonction publique ou du promoteur qui a de l'argent et du prestige, va succéder un art plus complexe fait d'écoute, de souplesse et de modération. Peut-être est-ce vraiment «le temps des médiateurs.»

Chapitre IX

Les deux figures du tiers

Dans le présent volume, nous avons voulu explorer le champ de la participation publique en environnement. Nous avons essayé de montrer que cette dernière prend sa source dans une conception de la personne humaine, en tant que citoyen et en tant que membre du biotope. On ne peut tenir compte de l'environnement sans considérer les humains qui y vivent. En affirmant l'enracinement de l'humain dans l'environnement, les déclarations internationales fondent, par le fait même, le droit des populations à la consultation, à la participation. Au-delà de l'État et de la communauté politique, c'est la personne concrète qui est visée. Nous avons donc suivi le long parcours à travers lequel la question environnementale peut être prise en charge par la population dans les décisions susceptibles de modifier l'environnement. Il ne peut y avoir de développement durable que si l'on tient compte des capacités du milieu écologique, des besoins humains et des rapports d'équité dans une perspective à long terme. Cela nous a mené à scruter dans différents chapitres la communication environnementale, la consultation publique, la collaboration, la négociation et la résolution de conflits, la médiation. Chaque chapitre aurait pu être un livre, mais nous avons préféré un parcours d'ensemble pour permettre de mieux saisir l'ampleur et la variété des expériences dans notre société, leur continuum, leurs interrelations. Par ailleurs, nous nous sommes confiné presque exclusivement à l'environnement, qui est notre domaine d'intervention professionnelle.

De la consultation publique à la médiation, nous avons rencontré constamment la présence d'un tiers, un tiers extérieur aux parties qui permet au processus d'avoir lieu. Mais il faut bien comprendre qu'il ne s'agit pas toujours du même tiers.

Dans le processus d'information, le tiers n'est pas tout à fait un tiers. Il est davantage le prolongement du promoteur. Il est un professionnel extérieur au promoteur qui essaie d'établir une relation de confiance entre le promoteur et des gens potentiellement affectés. Il y parvient souvent, heureusement. S'il est expérimenté, il convaincra souvent son employeur de modifier et de bonifier son projet afin de le rendre plus acceptable. Nous avons vu que la Banque mondiale conçoit la communication comme un processus d'aller et de retour incluant le *feed-back*. Le responsable de la communication est donc en relation dialectique avec son client: payé par lui et agissant pour lui, il en reçoit des ordres. Mais il doit agir selon certaines règles de l'art, est soumis à ses propres normes éthiques qui l'incitent à faire le mieux et à éviter le pire. Lors d'audiences publiques, les nombreuses récriminations contre les efforts de communication des promoteurs, perçus parfois comme de la vente sous pression, montrent bien la fragilité de la démarche. Mais à mesure que les expériences s'accumulent, les exigences se précisent et des codes de pratique permettent d'éviter les dérapages grossiers d'autrefois. La communication environnementale, sans être un vrai service de tiers, contribue néanmoins à jeter un pont entre un promoteur et la population. Récupération, manipulation, transparence? Rien n'est jamais joué d'avance.

Le second service du tiers, le modèle connu et valorisé, est celui de la consultation publique formelle par un enquêteur externe jouissant d'un statut juridique clair. La procédure est formelle et instituée, suppose en général un pouvoir d'enquête, offre des garanties d'indépendance et s'inscrit dans un cadre quasi judiciaire. La procédure d'audience publique en est un bon modèle, même si le BAPE n'a pas un pouvoir de décision mais un simple mandat d'analyse qui équivaut à un pouvoir de recommandation. D'autres procédures, comme cela se fait en Ontario, confient aux commissions d'enquête un pouvoir décisionnel. L'expérience montre que, lorsque les commissions décident les procédures se formalisent, la démarche se judiciarise et l'espace public est occupé par des juristes et des experts. Quand il ne s'agit que de consultation (et nous avons vu qu'en général la participation publique, c'est de la consultation), la marge de manœuvre des commissions est plus grande. Le citoyen a un meilleur accès à la consultation, les méthodes sont plus souples et moins impressionnantes quoique solennelles, et la dimension pédagogique davantage favorisée. Le tiers enquêteur est ici un vrai tiers, extérieur aux parties, indépendant à l'égard du pouvoir et s'apparentant à un arbitre, à un juge souvent payé par l'État.

Pour des institutions comme le BAPE, on parle volontiers de tribunaux (ou quasi-tribunaux) administratifs et l'opinion veut qu'on doive y appliquer les règles dites «de justice naturelle», dont celle de l'«audi alteram partem» (entends l'autre partie) qui interdit des relations bilatérales entre l'enquêteur et l'une des parties à l'exclusion de l'autre. Cette image du tiers impartial figure celle de la justice et de la médiation du Droit dans nos sociétés. Quand il y a conflit, c'est le Droit qui tranche entre les belligérants, un Droit transcendant qui se réfère au Juste et au Bien, héritage du temps où l'on pensait que les lois humaines étaient le reflet d'une loi éternelle, d'un ordre du monde qui était un ordre divin. Cela nous renvoie à Cicéron, ou à la vision du Moyen Âge, d'un Droit à haute valeur morale qui ne change pas, ou très lentement. Cela a peu à voir avec le droit d'aujourd'hui, toujours changeant, toujours remodelé, toujours fragile aux rapports de forces constamment mobiles de la société, un droit à prétention universelle qui n'arrive plus à rejoindre la réalité. Ceci n'enlève pas au Droit sa légitimité et la nécessité d'y recourir en dernière instance lorsque le conflit est irrémédiable. Mais cela en montre aussi la limite.

En ce sens, le Droit représente la figure du tiers par excellence, extérieur aux plaideurs, qui impose l'ordre de la société et déclare, dans une situation donnée, la règle du juste et du bien commun.

C'est à une tout autre figure du tiers que réfère la médiation. Il y a bien là une tierce partie obligatoirement présente entre les parties adverses, les aidant à communiquer, à se comprendre, à construire un arrangement. Le tiers n'est pas transcendant comme le juge. Il est au contraire immanent, proche des parties, travaillant avec elles. Au lieu d'imposer l'ordre du juste, il fait cheminer les parties vers le convenable, le tolérable, nous dirions l'équitable. Les spécialistes issus du droit se méfient beaucoup de cet intermédiaire qu'est le médiateur. Ils craignent que le compromis du consensus, ce avec quoi l'on peut vivre et que, parfois, on préférerait ne pas devoir assumer, ne soit finalement compromission, abdication du faible et confirmation du pouvoir du fort. Image éprouvante pour qui voit le droit comme le défenseur du pauvre, de la veuve et de l'orphelin.

Cette peur de l'arrangement privé à la marge ou au mépris du bien commun n'a de raison d'être que si la médiation se fait en cachette entre quelques-uns seulement. Elle a moins de raison d'être si toutes les parties vraiment concernées y ont part, avec l'ambiguïté inévitable de préciser le nombre des parties impliquées et la nature de ce qui les concerne. C'est pourquoi il est essentiel pour nous que le médiateur ait pour tâche de rappeler aux parties le bien commun et de s'assurer de son respect.

Nous sommes ici devant une autre figure du tiers. «La médiation ne se contente pas d'être ternaire dans sa structure. Elle l'est aussi dans ses résultats. Ce qui la distingue radicalement de la justice qui, si elle est bien comme la médiation, ternaire dans sa structure, grâce au juge extérieur au conflit et indépendant des parties, est binaire dans son résultat: même si le juge peut rechercher la conciliation jusqu'au dernier moment, la mission de justice lui fait obligation de trancher: d'un côté le droit, de l'autre la violation du droit» (Guillaume-Hofnung 1995: 75).

Pour que ce rôle de tiers soit bien assumé par le médiateur, il faut évidemment que ce dernier puisse montrer que sa fonction d'intermédiaire et de catalyseur n'implique pas de compromission avec une des parties. Le juge y parvient en évitant le contact et en appliquant les règles de droit. Le médiateur doit accomplir sa tâche en ayant des contacts. Si, de plus, il est payé par l'une des parties, le promoteur, il doit donc s'inscrire dans un statut qui lui permette de rester au-delà de tout soupçon. Ce statut implique donc nécessairement une reconnaissance juridique de la médiation et des critères d'indépendance qui rendent le médiateur totalement libre à l'égard de celui qui paie. C'est cette fonction qu'assume le Centre National de la médiation en France, et d'une autre façon la SPIDR aux États-Unis. En environnement, au Québec, nous ne disposons pas encore de ce genre de structure qui garantisse la transparence et l'indépendance du médiateur. Des codes de pratique et d'éthique surgissent. Il manque encore l'encadrement adéquat. De ce point de vue, le rattachement au BAPE a constitué une solution opportune et permis un début d'institutionnalisation. La médiation doit maintenant trouver son propre créneau et être reconnue pour elle-même sans se confondre avec un organisme quasi judiciaire.

À tous égards donc, la médiation constitue une figure du tiers, un tiers immanent voué à la compréhension réciproque et au rétablissement des liens au sein d'un groupe humain: famille, clan, quartier, ville, société tout entière. Cette fonction commence d'être mise en œuvre dans le secteur de l'environnement.

Communication environnementale, enquête et consultation publique formelle, processus de collaboration, négociation, processus de résolution de conflits, médiation formelle élargissent notre coffre d'outils pour aider la société à prendre en charge la question écologique. De cette question, on parle beaucoup depuis vingt-cinq ans, parfois trop. Nous sommes pourtant encore bien loin d'une solution adéquate. À la première perception de la crise dans les années soixante-dix, des solutions sont venues: lois, réglementations, programmes de dépollution et de correction. Nous sommes à l'heure du développement durable et de démarches multiples pour réconcilier environnement et développement. La crise n'est pas surmontée pour autant, loin de là! À l'accalmie présente, suivront d'autres moments de crise: effets climatiques, épuisement des ressources, surpopulation. Penser que l'humanité a su trouver en vingt-cinq ans les mécanismes adéquats pour intégrer dans une synthèse harmonieuse sa puissance technique, son désir de développement et de consommation intensive ainsi que les fragilités de la nature, c'est rêver en couleurs. Il y aura nécessairement d'autres crises, plus graves, plus complexes, peut-être plus urgentes. Et pour y faire face, il nous faudra une multitude de mécanismes sociaux souples et adaptables. Il faudra donc élargir encore le coffre d'outils. Il n'y a pas de formules magiques valables pour toutes les situations, mais des outils divers, provisoires, perfectibles. Autant il faut rester lucide sur les fins et les moyens mis en œuvre, autant il faut explorer et libérer l'imagination. Le présent livre n'a présenté qu'un survol timide de problématique et de moyens. Le chantier doit rester ouvert. Il est d'ailleurs fascinant.

Les ressources essentielles en treize volumes plus un

Nous proposons dans la bibliographie utilisée pour le présent volume une liste modeste d'ouvrages. Il se publie, en anglais surtout, une pléthore d'ouvrages relatant surtout des expériences et expliquant les manières de faire *(how to)*. Les ouvrages que nous donnons en référence sont ceux que nous utilisons couramment. Ce n'est qu'une fraction d'une bibliographie possible. Les travaux universitaires offrent des listes bien plus considérables. De notre bibliographie, retenons treize ouvrages qu'on pourrait appeler des coups de cœur, les treize ouvrages, plus un, à lire pour qui veut savoir l'essentiel.

1 — BELLENGER (1984)

Voici en peu de pages un petit livre essentiel sur la négociation, qui fait très bien le lien entre la théorie et la pratique.

Ce livre a l'avantage d'être clair et de présenter une typologie de la négociation, les modes interactifs d'échange et trois modèles de négociation constructive. Si vous ne lisez qu'un livre sur la négociation, lisez celui-là de préférence à Fisher et Ury (1991).

2 — BINGHAM (1986)

À la demande de la Conservation Foundation, Gail Bingham a recensé dix ans d'expériences de la médiation dans le domaine de l'environnement. La perspective est uniquement américaine et vise à tirer les leçons de l'expérience. En quels domaines a-t-on appliqué les ADR? Quels furent les facteurs déterminants? Peut-on parler d'efficacité? Quelle prospective est possible? L'auteure procède également à l'analyse synthétique d'une cinquantaine d'expériences données comme «case studies» conformément à la méthode américaine. Un bon livre, concret, nuancé, qu'il faut relire de temps en temps. Excellente bibliographie.

3 — Boisvert, Cossette, Poisson (1995a) et (1995b).

Nous trichons un peu puisque nous suggérons ici deux volumes plutôt qu'un. C'est qu'ils vont ensemble. Trois universitaires ont entrepris de refaire le point sur l'animation de groupe et l'animateur. L'animation de groupe (1995b) définit la participation, cerne les interactions dans le groupe, décrit les types et les modes de structuration des réunions, l'espace et son aménagement, la planification de l'action et les modes de structuration des réunions. Le livre sur l'animateur (1995a) donne un excellent guide pour aider l'animateur à réaliser sa tâche. Bon chapitre sur la créativité (p. 199-254). Même si les deux livres portent sur l'animation de groupe, leur connaissance sera précieuse à la personne désireuse de faire de la *facilitation* ou de la médiation. Des bibliographies remarquables.

4 — Dupont (1994)

Voici un très beau livre, extrêmement documenté sur la négociation. Tout y est: la conduite, la théorie, les applications. La section sur la conduite de la négociation est particulièrement éclairante sur les enjeux et sur les typologies de la négociation. La partie théorique est très bien documentée et permet de voir les nuances entre les écoles de pensée en ce domaine. Les applications portent sur la négociation commerciale, la négociation sociale (qui concerne plutôt les conflits de travail) et la négociation internationale. Un livre de très fort calibre, qui ne se contente pas de donner le comment faire mais qui en explique le pourquoi et cherche à nommer les postulats théoriques derrière les affirmations.

5 — Fisher et Ury (1991)

Indubitablement le best-seller en ce domaine. Fisher et Ury ont popularisé la thèse de la négociation raisonnée *(Principled Negotiation)*, négociation intégrative, ou sur le fond. Au plan pédagogique, le livre est une merveille: clair, simple, stimulant. C'est également un livre un peu facile qui laisse entendre que tous les conflits peuvent se résoudre si on sait comment s'y prendre, ou si les gens parviennent à nommer leurs intérêts. Approche pragmatique et éthique utilitariste au rendez-vous. C'est le livre de référence du Harvard Negotiation Project. À compléter par la lecture d'autres livres: Fisher et Brown (1988), Hall (1993), Fisher et Ertel (1995). À dévorer d'abord, à critiquer ensuite.

6 — Gray (1991)

Voici un très beau livre sur les processus de collaboration et qui fait très bien le va-et-vient entre les expériences concrètes et la théorie. Explique avec brio la dynamique de la collaboration à plusieurs partenaires. Les exemples donnés illustrent également souvent des problèmes à caractère social et local, de type urbain ou communautaire. Un très beau mélange de psychologie, de travail social et de perspective organisationnelle, ce qui n'enlève rien au calibre universitaire de l'auteure. Excellente bibliographie et, comme toujours dans les livres américains, un index analytique très complet. À compléter avec la lecture de Carpenter et Kennedy (1991).

7 — Guillaume-Hofnung (1995)

Un bon petit livre de la collection Que sais-je? qui rassemble l'essentiel sur la question de la médiation. Livre écrit par une juriste et dont la perspective déroute parfois le praticien. Livre plus théorique que pratique, plus soucieux de notions claires que d'illustrations du processus à suivre. Idéologiquement proche de Jean-François Six.

8 — LEROUX et DELAIN (1992)

Un excellent guide pour qui veut entrer en négociation. Plus complet que Bellenger (1995), moins savant que Dupont (1994). «La matière de ce guide pratique se borne à recueillir les supports, aide-mémoire et graphiques utilisés dans plus de 50 séminaires de 15 entreprises différentes, et surtout à présenter les concepts et méthodes qui se sont dégagés d'une pratique quotidienne» (p. 9). Il ne faut pas conclure que les auteurs ont simplement publié leurs notes de cours. C'est au contraire un guide qui vous accompagne pas à pas depuis la définition des enjeux jusqu'à la conclusion d'un accord. Guide à la fois schématique et très pédagogique.

9 — RAIFFA (1982)

Raiffa est un des meilleurs experts américains de l'analyse concrète de la théorie des jeux. C'est un spécialiste de l'analyse de la prise de décision en situation d'incertitude. Il a une préférence marquée pour l'analyse mathématique et les modèles de simulation traités sur ordinateur, ce qui donne à son ouvrage une forme mathématique assez poussée. Très systématique, le livre analyse les négociations à deux parties et un enjeu, à deux parties et à enjeux multiples, à plusieurs parties et à enjeux multiples. Les conflits analysés sont principalement dans le domaine de la finance, du travail et de la politique. La section sur l'environnement est assez mince. L'ouvrage de Raiffa est un classique pour développer l'analyse quantitative des conflits. L'aspect mathématique domine nettement.

10 — Six (1995)

Jean-François Six est président du Centre National de la Médiation. Son ouvrage est surtout conceptuel et cherche à définir la médiation, les secteurs de médiation (famille, école, entreprise, société, justice, ville et un dernier secteur fourre-tout qu'il appelle: «nous, les usagers»), le médiateur. Intelligent, documenté, souvent lucide et pertinent, le livre a également de sérieux défauts: un ton souvent polémique, surtout contre le pragmatisme américain et contre la définition de la médiation en tant que mécanisme de résolution de conflits, et un ton professoral, pontifiant, souvent moralisateur. Sous cet aspect, il s'agit d'un livre typiquement français, au mauvais sens du mot. Toutefois sur ses thèses de fond, nous estimons qu'il a souvent raison. La section sur la formation est intéressante alors que l'annexe nous donne deux documents essentiels: la Charte et le Code de médiation du Centre National de la Médiation.

11 — Samson et McBride (1993)

Le livre se présente comme une recherche de droit comparé rédigée par une trentaine d'auteurs venant d'Allemagne, de Grande-Bretagne, du Québec et du Canada. Il s'agit en fait des Actes d'un Colloque. C'est évidemment très inégal, mais il y a d'excellentes contributions sur les processus de résolution de conflits et la médiation. Il y a aussi de bons récits d'expériences dans divers pays.

12 — Susskind et Cruikshank (1987)

Lawrence Susskind est un des auteurs les plus actifs dans le domaine des processus de résolution de conflits, tant au plan de l'enseignement (Programme de négociation à l'école de Droit de MIT) qu'à celui de l'intervention pratique. Cruikshank est issu du Harvard School of

Business Administration. Idéologiquement très proches de Fisher et Ury, leurs collègues, ils nous proposent ici un survol du champ de la résolution de conflits, de la négociation et de la médiation. Moins lapidaire et plus nuancé que *Getting to Yes,* le livre est très stimulant et fait désormais partie des classiques.

13 — Touzard (1977)

En français, le livre de Touzard est un livre culte qui résiste bien aux coups de boutoir non mérités que lui sert Jean-François Six. Voici un livre ample qui aborde le conflit sous l'angle psychologique, sociologique et psychosociologique. C'est un livre universitaire, souvent technique, surtout axé sur la recherche, mais qui fait aussi le lien avec des expériences concrètes. Un livre exigeant et difficile, principalement axé sur les problèmes de travail, écrit bien avant la généralisation des conflits liés à l'environnement. Malgré sa date et ses limites, le livre de Touzard demeure une référence obligée.

Treize plus un

Et voici, pour terminer, notre dernier coup de cœur. C'est un simple roman, écrit par un ancien diplomate. Au lieu d'exposer une théorie et pour ne pas être tenu de dévoiler des situations auxquelles il avait lui-même participé, l'auteur a mis en roman une négociation fictive mais à fondement historique entre catholiques et protestants, suite à l'Édit de Nantes. *Saint-Germain ou la Négociation* a valu à son auteur, F. Walder, le prix Goncourt. Un petit livre à déguster après avoir lu un peu de théorie sur la négociation. Un dessert bien mérité et fort opportun puisqu'il s'agit de notre quatorzième suggestion. Treize eût été ... périlleux!

Bibliographie

BAPE no 17 (Bureau d'audiences publiques sur l'environnement), 1984. *Rapport d'enquête et d'audience publique no. 17. Projet de remblayage dans la plaine d'inondation de la rivière Godefroy en vue du développement domiciliaire Parent et Désilets à Bécancour.*

BAPE no 95 (Bureau d'audiences publique sur l'environnement), 1995. *Rapport d'enquête et d'audience publique no 95. L'agrandissement du lieu d'enfouissement sanitaire (carrière Demix, (cellule no 2) à l'usage exclusif de la station d'épuration des eaux usées de la CUM.*

BEAUCHAMP, André, GRAVELINE, Roger et QUIVIGER, Claude, 1976. *Comment animer un groupe,* Montréal, Éditions de l'Homme, 115 pages.

BEAUCHAMP, André, 1993. *Le gestionnaire et les publics: pour une collaboration fructueuse,* Ville de Montréal, Bureau de consultation de Montréal, 25 pages.

BEAUCHAMP, André, 1996. *Gérer le risque, vaincre la peur,* Montréal, Bellarmin, 188 pages.

BEAUCHAMP, André, 1997. «La requête démocratique en environnement: une attente sacrée?», *L'Action nationale,* vol. LXXXVII, no 1, janvier 1997, p. 43-54.

BEAUCHAMP, André, ROY, Louise, SADLER, Barry, 1993. *La médiation dans le cadre de la loi canadienne d'évaluation environnementale. Règles de fonctionnement,* BFEEE (maintenant Agence canadienne d'évaluation environnementale), Mars 1993, 62 pages.

BEAUD, Michel et Calliope, BOUGUERRA, Mohamed Larbi, 1993. *L'État de l'environnement dans le monde,* Paris, La Découverte, Fondation pour le progrès de l'Homme, 438 pages.

BELLENGER, Lionel, 1995 (1984). *La négociation,* Paris, PUF, Que sais-je? 2187, 125 pages.

BHATNAGAR, Bhuvan et WILLIAMS, Aubrey C. (editors), 1992. *Participatory Development and the World Bank. Potential Directions for Change, Banque Mondiale,* World Bank Discussion Papers.

BINGHAM, Gail, 1986. *Resolving Environmental Disputes,* Washington D.C., The Conservation Foundation, XXVIII, 284 pages.

BOISVERT, Daniel, COSSETTE, François, POISSON, Michel, 1995a. *Animateur compétent, groupes efficaces,* Cap Rouge, Presses Inter Universitaires, 402 pages.

BOISVERT, Daniel, COSSETTE, François, POISSON, Michel, 1995b. *Animation de groupes,* Cap Rouge, Presses Inter Universitaires, XI, 324 pages.

BOOKCHIN, Murray, 1993 (1989). *Une société à refaire. Vers une écologie de la liberté,* Montréal, Ecosociété, 300 pages.

CARPENTIER, Susan L. et KENNEDY, J.D., 1991. *Managing Public Disputes,* San Francisco, Oxford, Jossez-Bass, XVIII, 293 pages.

CMED (La Commission mondiale sur l'environnement et le développement), 1988. *Notre avenir à tous,* Montréal, Éditions du Fleuve, Publications du Québec, XVII, 459 pages.

CNUED. (Conférence des Nations unies sur l'environnement et le développement), 1993, *Action 21,* Nations unies, New York, 256 pages.

COMMISION DE L'AMÉNAGEMENT ET DES ÉQUIPEMENTS, 1992. *Les procédures d'évaluation des impacts sur l'environnement,* Assemblée nationale, 9 avril 1992, 72 pages.

CROZIER, Michel et FRIEDBERG, Erhard, 1977. *L'acteur et le système,* Paris, Seuil, Point Politique 111, 436 pages.

DE CERTEAU, Michel, 1969. *L'étranger ou l'union dans la différence,* Paris, Desclée de Brouwer, Foi Vivante 116.

DE TOCQUEVILLE, Alexis, 1848. *La démocratie en Amérique,* Paris, Pagnerre (12e édition), en quatre tomes. L'édition la plus récente est celle de E. Nolla, Paris, Vrin, 1990, 2 tomes.

DION, Léon, 1972. *Société et politique. La vie des groupes,* tome II. Dynamique de la société libérale, Québec, Presses de l'Université Laval, 616 pages (le tome I *Fondements de la société libérale,* est paru en 1971, 444 pages.)

DOUGLAS, Mary et WILDAVSKY, Aaron, 1983. *Risk and Culture,* Berkely, University of California Press, 221 pages.

DUFFY, Karen G., GROSCH, James W., OLCZAK, Paul V., 1991. *Community Mediation. A Handbook for Practitionners and Researchers,* New York, London, The Hartford Press, XXII, 355 pages.

DUFRESNE, Jacques, 1987. *Le procès du droit,* Québec, IQRC, 126 pages.

DUPONT, Christophe, 1994 (4e édition). *La négociation. Conduite, théorie, application,* Paris, Dalloz, XI, 391 pages.

DUVERGER, Maurice, 1964. *Introduction à la politique,* Paris, Gallimard, Folio Essais 23.

EMTEN, 1994, (A. Kudat, R,W, Fortner, N.J. Smith-Sebasfo, G,W, Mallins). *Handbook for Environmental Communication in Development,* World Bank, 135 pages.

ETZIONI, Amitai, 1943. *The Spirit of Community,* New York, Crown Publishers, VIII, 323 pages.

FAURE, Guy Olivier, 1991. «Entreprise: la négociation: de la théorie au réel», in *Universalia* 1991, (supplément annuel à L'Encyclopædia Universalis), p. 245-248.

FAURE, Guy Olivier et RUBIN, Jeffrey Z. (editors) 1993. *Culture and negociation,* Newbury Park, London, New Delhi, XVI, 264 pages.

FISHER, Roger et URY, William, 1991 (1981) (avec la collaboration de Bruce Patton). *Getting to yes Negotiating Agreement Without Giving On,* Penguin Books, XIII, 200 pages. Traduction française: *Comment réussir une négociation,* Paris, Seuil, 1982, 218 pages.

FISHER, Roger et BROWN, Scott, 1988. *Getting together,* Penguin Books, XV, 216 pages.

FISHER, Roger et ERTEL, Danny, 1995. *Getting Ready to Negotiate,* Penguin Books, IX, 174 pages.

FOLBERG, Jay et TAYLOR, Alison, 1984. *Mediation: a comprehensive Guide to Resolving Conflict without Litigation,* San Francisco, Jossey-Bass, XXII, 392 pages.

FRANKLIN, Ursula, 1995 (1990). *Le nouvel ordre technologique,* Montréal, Bellarmin, coll. l'Essentiel, 176 pages.

GASTIL, John, 1993. *Democracy in Small Groups,* Philadelphia, New Society Publishers, X, 213 pages.

GODBOUT, Jacques T., 1983. *La participation contre la démocratie,* Montréal, Éditions coopératives Albert Saint-Martin, 190 pages.

GODBOUT, Jacques T., 1987. *La démocratie des usagers,* Montréal, Boréal, 190 pages.

GODBOUT, Jacques T., 1991 (sous la direction de). *La participation politique. Leçons des dernières décennies,* Québec, IQRC, Questions de culture 17, 301 pages.

GODBOUT, Jacques T. 1992 (en collaboration avec Alain Caillé). *L'esprit du don,* Montréal, Boréal, 345 pages.

GOUVERNEMENT DU QUÉBEC, 1988. *L'évaluation environnementale: une pratique à généraliser, un examen à parfaire,* Québec,

Comité de révision de la procédure d'évaluation et d'examen des impacts environnementaux, 169 pages. Ce rapport est également connu sous le nom de rapport Lacoste, du nom de son président.

GRAY, Barbara, 1991. *Collaborating Finding Common Ground for Multiparty Problems,* San Francisco, Oxford, Jossey-Bass XXV, 329 pages.

GUILLAUME-HOFFNUNG, Michèle, 1995. *La médiation,* Paris, PUF, Que sais-je? 2930, 127 pages.

HALL, Lavinia, 1993. *Negociation Strategies for Mutual Game. the Basic Seminar of the Program on Negociation at Harvard School,* Newbury Park, London, New Delhi Sage Publications, X, 212 pages.

HENTSCHEL, Jesko, 1994.*Does Participation Cost the World Bank More? Emerging Evidence,* Banque Mondiale, HRO Working Papers 31, 21 pages.

JANKELOVICH, Daniel. 1991. *Coming to Public Judgment: making democracy work in a complex world,* Syracuse University Press, XIV, 290 pages.

JOUVENEL, Bertrand de, 1972 (1945). *Du pouvoir,* Paris, Hachette, Livre de poche Pluriel 8302, 607 pages.

KISS, Alexandre 1989 (sous la direction de). *L'écologie et la loi. Le statut juridique de l'environnement,* Paris, l'Harmattan, coll. Environnement, 391 pages.

LAURENT-BOYER, Lisette (sous la direction de) 1992, *La médiation familiale,* Cowansville, Yvon Blais, XV, 223 pages.

LEROUX, Maxime, DELAIN, Mariette, 1992. *Les dimensions cachées de la négociation. Savoir préparer pour pouvoir conclure,* Paris, INSEP, 231 pages.

LORENZ, Konrad, 1962. «L'horrible colombe et le bon loup», article paru dans *Planète* et réédité dans *Planète,* Paris, Rocher, 1996, p. 329-333.

LORENZ, Konrad, 1970 (1965). *Trois essais sur le comportement animal et humain*, Paris, Seuil, Points 51, 240 pages.

MATHEWS, David 1994. *Politics for People Finding a Responsable Public Voice*, Urbana and Chicago, University of Illinois Press, 228 pages.

MEF, 1995. *La réforme de l'évaluation environnementale. Proposition d'orientation*, 26 juin 1995, 34 pages. Complété par un document de support, 36 pages.

MEF, 1996. *Consultation sur les orientations de la réforme de l'évaluation environnementale.* Compte rendu des commentaires des organismes externes 27 et 28 septembre 1995, Direction générale du développement durable, janvier 1996, 22 pages.

MICHAELSEN, Lewis, 1996. «Core values for the Practice of Public Participation» *Interact*, Spring 1996, vol. 2, no 1, p. 77-82.

MOLES, Abraham, 1973 (sous la direction de). *La communication et les mass média*, Paris, Les dictionnaires Marabout Université 9, 758 pages.

MRN (Ministère des Ressources naturelles),1996. *Pour un Québec efficace.* Rapport de la Table de consultation du débat public sur l'énergie, Québec, 150 pages.

OUIMET, Luc et YERGEAU, Michel, 1984. «Pour que les audiences publiques aient un sens», *Le Devoir.*

OWEN, Harrisen, 1992. *Open Space Technology. A User's Guide*, Potomac, Abbott Publishing, 145 pages.

PARENTEAU, René, 1984. *La participation du public aux décisions d'aménagement*, Ministère des Approvisionnements et Services du Canada, 73 pages.

PELLETIER, Denis, 1996. *Économie et Humanisme. Utopie communautaire et engagement chrétien* 1941-1966, Paris, Cerf, 518 pages.

POITRAS, Lawrence A. PATOINE, Marc-André et alii, 1995. *Développements récents en médiation* (1995), Service de la formation permanente du Barreau, Cowansville, Yvon Blais, 235 pages.

RAIFFA, Howard, 1982. *The Art and Science of Negotiation,* Cambridge Mass, Harvard University Press, 373 pages, 13e tirage en 1994.

ROSSITER, John et LILIEN, Gary L., June 1994. «New «Brainstorming» Principles», *Australien Journal of Management,* p. 61-72.

SAINT-LAURENT, Marc, 1994. *Environnement et créativité,* Montréal, Paris, Médiaspaul, 327 pages.

SAMSON, Claude et MCBRIDE, Jeremy, (avec la collaboration de W.R. Mayer et H. Burgbacher), 1993. *Solutions de rechange au règlement des conflits,* Ste-Foy, Presses universitaires de Laval, XXVII, 644 pages.

SHAFFER, Carolyn R., ANUNDSEN, Kristin, 1993. *Creating Community Anywhere,* New Yord, Jeremy P. Tarcher/ Perigee, XVII, 334 pages.

SIX, Jean-François, 1990. *Le temps des médiateurs,* Paris, Seuil, 279 pages.

SIX, Jean-François, 1995. *Dynamique de la médiation,* Paris Desclée de Brouwer, 281 pages.

SLULLBERG, Joseph B., 1987. *Taking Charge/Managing Conflict,* Lexington, Lexington Books, XII, 175 pages.

SUSSKIND, Lawrence E., CRUIKSHANK, Jeffrey, 1987. *Breaking the Impasse,* Basic Books, XI, 276 pages.

SUSSKIND, Lawrence E., 1994. *Environmental Diplomacy,* New York, Oxford University Press, XII, 201 pages.

TOUZARD, Hubert, 1977. La médiation et la résolution des conflits, Paris, PUF, Collection Psychologie d'aujourd'hui, 420 pages.

URY, William L., BRETT, Jeanne M., GOLDBERG, Stephen B., 1988. *Getting Disputes Resolved. Designing Systems to Cut the Costs of Conflict,* San Francisco, Jossey-Bass, XXV, 201 pages.

URY, William, 1993. *Getting Past No,* New York, Bantam Books, XV, 189 pages.

VINCENT, Sylvie, 1994. *La consultation des populations. Définitions et questions méthodologiques,* dossier synthèse no. 10, Bureau de soutien de l'examen public du projet Grande-Baleine, 89 pages.

VON NEUMANN, John et MORGENSTERN, Oskar, 1980 (1944). *Theory of Games and Economic Behavior,* Princeton, Princeton University Press, 641 pages.

WALDER, F. (1959). *Saint-Germain ou la Négociation,* Paris, Gallimard. Roman publié aussi en collection de poche.

WEISBORD, Marvin R. (editor), 1993. *Discovering Common Ground,* San Francisco, Berrett-Kœhler, XVII, 442 pages.

YERGEAU, Michel, 1988. *Loi sur la qualité de l'environnement,* texte anoté, Montréal, Société québécoise d'information juridique, 1109 pages.

Table des matières

Du même auteur:

De la terre et des humains. Regards écologiques

Cet ouvrage, qui s'adresse à un large public, permet de mieux mesurer les véritables enjeux des crises environnementales.

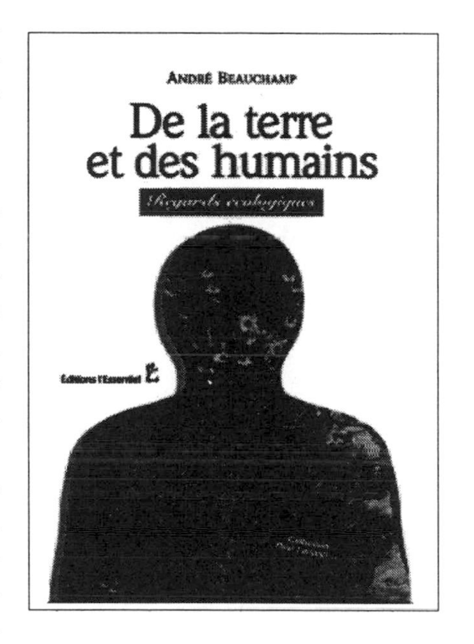

André BEAUCHAMP a l'art de dépasser le regard souvent superficiel porté sur les événements qui menacent l'équilibre de notre milieu de vie. Empruntant la belle image du jardin, il propose une réflexion stimulante sur les rapports de l'humain à la nature. «Le jardin évoque, écrit-il, un accomplissement dans la gratuité, quand l'art et le jeu peuvent atténuer et dépasser la fébrilité humaine, la faim et la soif, le goût exclusif de posséder et d'user.»

«S'il y a un défi écologique, ajoute l'auteur, il consiste à se savoir immergé dans ce monde, à s'en sentir solidaire pour pouvoir ensuite comprendre et accepter les contraintes et les limites de certaines formes de consommation, de confort, de production, de solidarité...»

André BEAUCHAMP, *De la terre et des humains. Regards écologiques*, Montréal, Éditions l'Essentiel, 1996. 144 p. ISBN 2-921970-04-X

ACHEVÉ D'IMPRIMER
CHEZ
MARC VEILLEUX,
IMPRIMEUR À BOUCHERVILLE,
EN AOÛT MIL NEUF CENT QUATRE-VINGT-DIX-SEPT